新潮文庫

桜の樹の下で

下巻

渡辺淳一著

新潮社版

4824

目次

桜の樹の下で　下巻

時雨る

九月ときくと、残暑もすぎて凌ぎやすい初秋の気候を想像する。外でスポーツをするにも、小旅行にも好ましい日和を頭に描く。

だが実際の九月は、意外に荒れ模様の日が多い。

まず九月一日は二百十日で、過去の大きな被害をもたらした颱風のほとんどは、このころから半月くらいのあいだに訪れている。くわえて九月の半ばからは秋霖という、いわゆる秋の長雨が続く。この長雨に颱風が重なればさらに大事にいたる。

例年の天気図を見ても、九月は梅雨どきの六月よりもさらに雨の日が多い。

それでも、九月ときくと、天気がよさそうに思うのは、猛暑の夏に飽きて、うんざりしているせいかもしれない。一日も早く爽やかな秋晴れの日が欲しいという思いが、九月という月に、必要以上の期待を抱かせることになる。

だが人々の願いなぞ、われ関せずとばかり、九月の空は長雨と颱風を送りこんでくる。情け容赦もない、無情な季節である。

しかしよく考えてみると、それは猛暑の夏から清涼な秋へ変わるための、自然の葛藤なのかもしれない。人々に生誕の苦しみがあるように、自然にも新たな季節を生み出す苦しみがある。

九月はちょうど、その境目に当たる。

菊乃が躰の不調を覚えたのは、この不順な気候のはじまる九月の初めごろだった。

とくに熱があったり、痛みがあるわけではないが、頭が重く食欲がない。しかも少し疲れると耳鳴りがし、吐き気がする。

いままで病気らしい病気といえば虫垂炎くらいで、それも散らして入院するにはいたらなかった。やや細身だが、芯は意外に強いと、自分でも思いこんでいただけに意外である。

それでも初めのうちは、夏の暑さにくわえて、新しい店をはじめた疲れがでたのだろうと簡単に思いこんでいた。

だが一週間経ち、半月経っても快くならず、食欲がないまま痩せが目立ってきた。

客達も気がついて、「女将、このごろ少し痩せたんじゃないか」と、心配してくれる。

「ちょっと夏痩せしまして、涼しくなったら、また戻ります」と、つとめて明るく答えるが、残暑が消えても食欲は恢復しない。さらに床に入っても眠られず、朝方になってようやく眠りについても浅く、一日中、気怠さが残る。

四十半ばになって、食欲がなくて不眠では、顔もやつれてしまうと気になるが、焦れば焦るほど眠れない。

そのうち耳鳴りとともに眩暈が強くなり、九月の半ばすぎに、ついに倒れてしまった。

幸い東京の店が終わるときで、しばらく控え室で休んだあと、マンションに戻って落ち着いたが、その後もときどき立ちくらみに襲われる。

「どうして、こんなことになったのか……」

眠られぬまま考えるうちに、母も一時、眩暈や吐き気で悩まされたことがあったのを思い出した。

それまでは、まわりが呆れるほど元気であった母が、急に目がかすむとか、動悸がするといいだして、夜も眠れないといっていた。仕事こそ休まなかったが肌に精気がなく、いつも苛立って落ち着きがない。ときには些細なことに腹を立て、泣きだすこともある。

それまで頼り甲斐のあった母が、急に子供のようになって驚いたが、あとできくと、それが母の更年期であった。

事実、そういう状態が二年近く続いたあと、とくに入院したわけでもないのに、自然に落ち着き、以前の穏やかさに戻っていった。

もっとも、それからの母は女でなくなったらしく、開き直ったようにさばさばとして、その分だけ艶(つや)も失われてしまった。

そのときの症状と、似ていなくもない。

菊乃はそこまで考えて、慌(あわ)てて首を横に振った。

「まさか、まだそんな年齢ではない」

母が躰の不調を訴えだしたのは、五十になる直前であった。四十九から五十歳になる一年くらいが、最も悪かったようである。

その年齢までには、まだ四年の余裕がある。

それに母の時代からみると、いまは女の盛りが長くなり、更年期も五十半ばからもっと先ともいわれている。人によってはその種の障害を、ほとんど感じない人もいるようである。

自分でそういうのも可笑(おか)しいが、四十六はまだ女の盛りである。若さとか青春というにはほど遠いが、女の成熟という点ではいまが頂点である。

「余計な心配をすることはない」

だがそうでないとなると、別の病気のことが問題になってくる。

不眠や食欲不振だけでなく、耳鳴りや眩暈はどうしておこるのか。

倒れた次の週、菊乃は思いきって北白川の病院へいってみた。幸い、そこの岡部という医師は「たつむら」にもくる客なので、相談しやすい。

岡部医師はいろいろ検査してくれた結果、「メニエル氏病」と診断した。

「それ、どんな病気ですか?」

きき慣れない病名なので尋ねると、眩暈や耳鳴り、吐き気などが主な症状で、耳の奥にある迷路というところの血行障害や、自律神経の失調などでおきてくるのだという。心配していた胃や肝臓や腸といった内臓のほうとは関係ないらしい。

「これ以上、悪くなることはないと思いますから、しばらく薬を服めば落ち着くでしょう」

「けど、どうしてそんな病気になったのですか」

「原因ははっきりしませんが、あまり神経をつかわず、暢んびりするようにしたほうがいいですよ。少し気張りすぎたんじゃないのかな」

怖い病気ではないと知って、菊乃は安心したが、仕事に気張らず暢んびりせよといわれても困る。

東京の店を開いて三カ月目で、いまようやく軌道にのりかけてきたときである。これからが正念場というときに、暢んびり休んでなぞいられない。

それに若いときから仕事をしてきただけに、店に出て客や従業員と接しているほうが気持が休まる。いままで眩暈や耳鳴りに悩まされながらも店に出ていたのは、そのほうが気持が張りつめて、いっときでも病気を忘れられたからである。

それを店を放って家で休んでいたのでは、ますます苛々が高じて悪くなりそうである。

翌日、菊乃は医師にいわれたことを、祇園でお茶屋をしている竹中育子に告げた。

「けったいな名前の病気え」

育子は小学校からの友達で、夫と別れて子供が一人いる境遇も似ていて、なんでも正直に話すことができる。

「お店のことなぞ忘れて、暢んびりしたらええというても、うちらサラリーマンやないし……」

「あんたにぶらぶらせえいうことは、死によし、ということと同じかもしらんなあ」

育子も菊乃の性格を知っているだけに、同情的である。

「いっそ、熱があるとか、手や足がきかへんのやったらええけど」

「けったいなこと、いわんといて、ほんまにそんなになったら大変や」

比較的軽い病気なので、冗談もいいあえるが、それで耳鳴りや眩暈が治るわけでもない。

「けど、あんた、ほんまにいつごろからおかしいなったん？」

「そやねえ、この夏の終わりごろから変になってきたけど、食欲がなくて眠れなくなったのは、梅雨のころからやったやろうなあ」

「ほな、東京に行ってすぐやないの」

たしかに東京に店を出して、三田のマンションで休むようになってから、眠れない夜が訪れてきた。

「やっぱり、新しいお店のことで無理をしはったんか」

「みな、そういうてくれはるけど、うちは新しいお店のこと、そんな苦労と思うたことはない。それよりお店ができて、かえって気ぃ張りつめて、よかったと思うてる」

「けど、お店をはじめてから、悪うなってきたんやろう」

「悪うなってきたといっても、日によっていい日も悪い日もあるから、まちまちやけど」

「自律神経失調っていうの、よくきくわ」

そのまま育子は考えこんでいたが、ふと思い出したようにいった。

「あんた、このところ、あの方とうまくいってるのんか？」

突然、遊佐のことをきかれて菊乃は戸惑ったが、育子はかまわずきいてくる。

「東京に行く度に、逢うてはるんやろ？」

育子にだけは、遊佐のことを告げてある。

もっとも好意を抱いているということだけで、それ以上のことは話していないが、察しのいい育子は、二人のあいだに躰の関係があることまで見抜いているようである。

「うまく、いってはるのか？」

「ときどき逢うているけど、忙しいお人やから……」

「けど、東京のほうにお店を出したら、逢えると思うたんやないか」

「そんなことはあらへん、東京へ支店の一つくらい、出したらどうかといわれたから出したんや」

「それはそうやけど、お店を出したら逢えると思うたことも、たしかやろ」

そう問い詰められると、「違う」とはいいかねる。

「このごろ、あまり逢ってへんのか」

「………」

「そうか……」

育子は一人でうなずくと、医者のような口調でいった。

「病気、そのせいかもわからへんなあ」

「そのせいて？」

「彼と逢うて、ないから」

「そんなことあらへん、耳の奥の血行障害と自律神経の失調が原因やて、お医者さんもいうてはったわ」

「それはたしかにそうかもしらへんけど、その原因は、彼のこととも関係あるかもしれへんえ。うちも別れたころ、少しそんなふうになってしもうたこと、あるもん」

「あんたが？」

菊乃は改めて、育子の整った顔を見た。

「頭が重かったり、肩が凝ったり、手足が冷たかったり、あんたほどやないけど……大きいお姐（ねえ）さんからもきいたことあるわ」

「なんてえ?」

「すごう、ええことあったあとに突然なくなったりしたら……」

「ええこと?」

「いっぱい愛されて、躰が馴染んだあとで、彼がいやはらへんようになったり、別れると、急に調子がおかしいなって……お医者さんかて、そこまでは知らはらへんやろ」

菊乃は、自分の内側まで見透かされたような気がして、目を伏せた。いままで、遊佐とのことは考えまいとして、極力、心の内側に閉じこめておいたが、こうあからさまに引き出されては無視するわけにもいかない。

「あの方と、喧嘩でもしたんと違う?」

「そんなこと、あらへん」

遊佐とは喧嘩はもちろん、いい争ったこともない。相変わらず週に一度、東京へ行くと逢っては食事をし、話もするが、躰の関係だけはない。

「お薬を服むのも、暢んびりするのもええけど、やっぱり女の躰はねえ」

育子のつぶやきをききながら、菊乃は自分の躰のなかに、男を求める血が流れているのかと思って気が滅入った。

秋の長雨は気がつくと夜に入っている。

菊乃は雨滴の流れる暗い窓ぎわに坐（すわ）ったまま、育子の言葉を思い出してみた。医師にいわれたとおり、メニエル氏病だと思っていたが、育子は少し考えが違うようである。

といっても、その病名を否定しているわけではなく、その原因が遊佐とのことにあると思っているらしい。

岡部医師は個人的なことは知らないので、そこまでは触れないが、育子は、遊佐との関係をよくすることが最善の療法だ、といいたいのかもしれない。

たしかにいま、遊佐にしっかり抱きしめられ、全身を翻弄（ほんろう）されるほど愛されたら、これまでのもやもやは一気に吹き飛んでしまう。

少し無茶だが、育子の指摘はまんざら当たっていないわけでもない。

だが育子といえども、本当のことは知っていない。

たとえ親友でも、遊佐と涼子とのことまでは話す気になれない。自分が最も愛する人の気持が娘のほうに向かっているなどとは、口が裂けてもいえない。

はっきり、二人のあいだに深い関係があるという確証はないが、好意を抱き合っていることだけはたしかである。

その懊悩（おうのう）が、さまざまな不安と苛立ちをよび、血行障害から自律神経の失調までもたらせてくる。

梅雨の終わりころから、じわじわと菊乃の躰を虐(さいな)んできた元凶は、この不安と苛立ちにあったようである。いいかえると精神に受けた傷が、耳鳴りや眩暈となって、肉体に警鐘を鳴らしていたのかもしれない。

これを治すには、余計なことを考えず、まず心の傷を癒(いや)すことである。

だが育子はそこからもう一歩踏みこんで、遊佐との関係を元に戻すことが、病気を治す最善の方法といいたいようである。

心はもちろん、躰も満たされていないことが、病を重くしているということらしい。

育子の指摘はたしかに鋭いが、しかしそれでは少し切ないところもある。

もし彼女のいうとおりなら、女はセックスの有無で、健康になったり、病気になることになる。性の充実度によって、健康、不健康まで影響されることになる。

もっとも、すべての女性がそうだというわけでもなさそうである。初めから、性の悦(よろこ)びや、男の好ましさを知らなかった女性にとっては、彼との関係が途絶えたところで、体調が崩れることはない。

「すごう、ええことあったあとに……」

老妓(ろうぎ)のいったことが真実だとすると、悦びが深ければ深いほど、性が絶えたあとの変調は大きいということになる。

してみると、いま自分はかつての快楽の罰を受けているということになるのか……。

そこまで考えて、菊乃はまた眠れなくなった。

はっきりいって、いまの菊乃と遊佐の関係はあまり好ましいものではない。ともに逢って食事をし、雑談はするが、それから一歩突っこんで、男女の親しい関係にまでは行きつかない。人によっては、そのほうがすっきりして、気が楽だと思うかもしれないが、二人の場合はそうはいかない。

以前になにもなければいいが、これまで二人は愛し合い、躰の面でも深く関わり合ってきた。いっときは、他人が羨むほどの仲の良さであった。

それがこの数カ月、どことなく他人行儀でぎごちない。

といっても、二人のあいだで争いがあったり、反目があったわけではない。相変わらず表面は親しげだが、心の奥までさらけ出しているという実感がない。

その原因が、娘の涼子にあることはたしかである。

春を過ぎたころから、遊佐の気持は涼子のほうに傾いていったようである。

むろん、まだはっきりと、その証拠を掴んだわけではない。二人のあいだに、なにかありそうだと思うだけで、そのことについて問い詰めたこともない。

親しげな気配だけだが、この数カ月の二人の行動を振り返ると、いろいろ思い当たることがある。

その第一は、遊佐も涼子も、菊乃に対してよそよそしくなったことである。それも、ともに五月の初めころからと、時期も同じである。

二人は菊乃によそよそしくなった分だけ親しげで、とくに東京店のオープンのときなどは、額が触れ合うほどに近づいて話していた。

くわえて最近は、遊佐は涼子のことについて、涼子は遊佐のことについて一言も触れない。いままではいずれかが話題にのぼると、即座に応じていたのが、急に無関心を装うところが、かえって不自然である。

だがなによりも解せないのは、大文字の夜の二人の行動である。

例によって菊乃が東京から電話をかけると、涼子はその夜見えている客の数と様子を告げたあと、大文字の山焼きを見に行って、店に戻るのが遅れたいいわけをした。そのとき少し叱ったので反省しているのかと思ったが、深夜になっても涼子は家に帰っていなかった。

眠られぬまま、朝方ようやく連絡がついて、行き先を尋ねると、「お客さまに誘われて……」と答えるだけで、客の名前をはっきりいわない。心配になってさらに問い詰めると、急に不機嫌になって黙りこんでしまった。

「あんたは、うちが京都にいないときは、お店の責任者なんやから、居所くらいちゃんとしておかなあかんえ」

あまり叱ってもまずいと思って、そのあたりでとめておいたが、こんなことははじめてである。

その夜、遊佐の書斎に電話をしても返事がなく、ベルだけが鳴っていた。

なにか事故でもあったのかと気になって、翌朝、会社に電話をかけてみると、出社は昼からだという。夜に会社関係のパーティーがあったことは知っているが、それから翌日の昼までの行動はまったくわからない。

午後になって、ようやく電話が接がって尋ねると、友人に深夜までつき合わされて泥酔してしまったのだという。滅多なことでは酔わない遊佐が、泥酔したというのも不自然だが、友人の名前もはっきりいわずに気まずそうである。

それでも、そのときは一応納得したが、以来、二人の行動で、不審なことが何度かおきた。すべて菊乃が東京にきているときだが、遊佐と涼子が、ともに夜から明け方にかけて所在が不明になったり、連絡がつかなくなる。

まさか自分が東京にきているあいだに、二人で秘かに逢っているわけではないだろう……。

そこまで考えて菊乃は慌てて打ち消したが、すぐ新しい疑問がわいてきた。

夜、東京から最終の新幹線に乗れば、京都には十一時過ぎに着き、それからでも逢う気になれば逢うことができる。

「まさか……」

つぶやくと同時に、菊乃は立ちくらみを覚えてその場にしゃがみこんだ。

もしそうだとしたら、遊佐はかつて自分へ向けた以上の激しさで、涼子を愛していることになる。あの忙しい人が、一夜の逢瀬のために京都まで駆けつけるとは、尋常ではない。

菊乃の耳鳴りが激しくなり、大きな眩暈に襲われたのは、その数日あとであった。

東京の店で仕事をしている最中だったので、二人のことと関係がないと思ったが、心の奥では、また今夜も二人は逢うかもしれないという不安にとらわれていた。二人が楽しそうに逢っている姿が頭に浮かび、その都度、そんなことは考えまいと、自分にいいきかせていた。

幸い倒れた夜は涼子は家にいて、すぐ連絡がついたようだが、二人のことが引き金になったことは否めない。

竹中育子は遊佐との関係を元に戻すことが先決だ、と忠告してくれたが、そう簡単に戻せるものではない。

自分の気持なら、まだ直しようがあるが、他人の心を、しかも去りかけている男の気持を取り戻すのは至難のわざである。

いっそ泣き叫ぶか、思いきり相手を罵るか、さもなくば哀願するか。

しかし菊乃の性格として、そんなことは断じてできない。それができたらどれほど楽かしれないが、死んでもそんな惨めなことはしたくない。

「もう、いや……」

菊乃が髪を掻きむしると、夜会巻風に巻き上げた束が崩れ、ばらばらになった。

そのまま突っ伏し、思いきり声をあげて泣くと、少し気持が落ち着いてきた。

菊乃は涙を拭き、髪を梳きながら、改めて二人のことを考えた。

まだ彼等が完全に愛し合っているというたしかな証があるわけではない。

くよくよ悩むより、いっそ本人達にたしかめ、そのうえで、自分の行き方を考えたほうがいい。

しかしいま二人に直接尋ねても、はっきりした答えは返ってこないかもしれない。しかも違っていたら、そんなつまらぬことを考えていたのかと、笑われてしまう。

いずれにしても、一度きいてしまったら、母親の立場がなくなってしまう。

そんなことで惨めになるより、いっそ興信所にでも頼んだほうがいいかもしれない。専門家が調べたら京都で二人が逢っていることくらいすぐわかるはずである。

だがいくら気になるとはいえ、興信所に頼むのはさすがに気が重い。それも他のことならともかく、自分が親しかった男と自分の娘との関係を探らせるとは情けない。

たとえ辛くても、そこまで手を廻したくない。

菊乃が戸惑う気持の裏には、もし調べて、万一、事実であったら怖いという不安もある。

もしかして、と疑っていることと、事実として突き出されることでは、受ける衝撃がまったく違う。

あまり急がず、いましばらく様子を見ようか。

自分にいいきかせて、改めて遊佐との関係を振り返ると、思っているほど悪いわけでもない。

その証拠に、菊乃が逢いたいと思えば、いつでも逢えるし、いろいろ相談にものってくれる。現実に、仕事の相談相手として最も安心して話せるのは遊佐だし、頼り甲斐もある。

いまずいぶん離れたように思うのは、これまでが近すぎたからで、それを除けば、男と女として、ほどよい距離を保っているといえなくもない。

遊佐のことを、好きな人とか愛しい人と思わず、初めから親しい友人と思いこめばいいのである。

しかし、それは理屈の上でのことで、実際に逢うと、娘へ愛を移した男という思いを捨てきれない。それどころか、逢っているうちに、自分を裏切り、娘へ近づいた破廉恥な男、という憎しみまでわいてくる。

いっそ、他に好きな人でもできれば気分転換もできようが、そんな器用なことはできそうもない。口惜しいけど、一人を愛するとその人しか見えず、他のことは一切考えられない。

そんな性格の女に、「冷静でいろ」ということ自体無茶である。

いま取り乱しては元も子もなくなると思いながら、菊乃は自分のなかに、いつ破裂するかしれない爆弾を抱えているようで落ち着かない。

遊佐も長雨の九月はあまり好きではない。その第一の理由はゴルフができないことだが、さらに書籍の売り上げも落ちてくる。

遊佐の会社でも女性向けの週刊誌と月刊誌を出しているが、発売日が雨の日に当たると、売れ行きが急に落ちる。雨の日はバッグの他に傘（かさ）を余計に持ち、それにくわえて雑誌を買って持つ、という気持になれないらしい。

もともと雑誌や本は、現実の生活になくても困るものではない。食べ物や衣類からみると、必要度ははるかに低い。当然のことながら、梅雨どきと秋の長雨のときは、雑誌の売れ行きは落ちるし、真夏は暑すぎて本を読むような気分になれない。

かくして八月から九月にかけては、出版社にとって、魔の季節ともいえる。

もっとも、最近は生活が多様化されて、以前のように、二月と八月の、「ニッパチは駄目（だめ）」とは一概にいいきれなくなってきた。

だが、雨の日に、雑誌の売れ行きが落ちることだけはたしかである。

たとえ発売日が雨でも、翌日か翌々日が晴れたらよさそうなものだが、それがそうもいかない。買おうと思ったその日に買いそびれると、翌日は新しい雑誌のほうに目移りするらしい。

この秋の長雨の影響を受けて、遊佐の会社で出している雑誌の売れ行きも、あまりかんばしくない。

週初めの会議で、前の週の売り上げ結果が報告されるが、営業も編集の責任者もいささか暗い顔である。

　だが、遊佐は雨で売り上げが落ちること自体は、あまり気にしていない。

　一年のあいだには、雨の日もあれば晴れの日もある。天気で一喜一憂しても仕方がない。

　それより問題なのは、雨という理由によって、売れなかった他の原因を見落とすことである。

　遊佐は三代目社長としては意欲があり、業界でもやり手だといわれているが、遊佐自身もこのごろ、一段とやる気がでてきた。最近は仕事が面白くなり、いろいろな会合やパーティーにも積極的に顔を出す。

　社長業を引き継いで十年経ち、仕事に自信ができたせいもあるが、同時に女性とのことが刺戟になっていることもたしかである。

　事実、このところ、涼子に新しい情熱を注ぎこんでいる。

　少しいいわけじみるが、仕事への意欲と恋の情熱とは共通するところがある。

　仕事が順調にいくと、女性への関心も高まり、逆に仕事が不調のときには、女性への関心も萎えてしまう。「英雄、色を好む」というと、いやらしくきこえるが、仕事が順調なときには、女性へ関心を抱く余裕も生まれてくる。

　いまの遊佐はまさしくそれに近い。一時的な売れ行きの不振はあっても、会社の業績は着実に伸び、それと平行するように、涼子とのあいだも、ますますたしかなものとなっていく。

このところ、菊乃の目を盗んで三度ほど京都へ行っているが、その都度、涼子は待ちかねたように駆けてくる。初めのときは店から直接きたが、二度目からはいったん家に戻り、洋服に着替えてくる。和服もいいが、洋服になると、さらに若さが引き立ち初々(ういうい)しい。

だが見掛けとは別に、二人だけのときの涼子の反応は次第に深まっていく。

若くて吸収力が早いのか、それともいままでとどめていたものが、一気にあふれ出たのか、逢う度に涼子の躰は敏感に、そして美しくなっていく。

こんなに急速に、涼子を大人にしていいのだろうか……。この不安は、涼子自身も感じるらしい。

「なにか、自分の躰でないような気がします」

三度目に逢ったとき、涼子は抱かれたあとでつぶやいた。

そんな自分の変化に戸惑っている涼子を見て、遊佐はさらに愛しくなる。

「また一段と、綺麗(きれい)になった」

「………」

「みんなにも、いわれるだろう」

「お客さまが、ときどきいわはります。誰か好きな人ができたんやろうて」

「そういうとき、なんと答えるの？」

「べつに、なにも……」

本当は、涼子を美しくしたのはこの自分である。遊佐はそういいたい気持をおさえて、中年の男達に囲まれている涼子の姿を想像する。

「この前なんか、お尻にさわられたんです」

涼子が鏡の前で、スリップを着ながら訴える。

「君が色っぽすぎるからだ」

「ほな、うちが他の人にさわられても、かましまへんのですか」

「あまり感心はしないが、しかし軽くさわられるくらいは仕方がない。それがいい女の宿命だ」

「そんなん……」

鏡のなかの涼子が睨む。そんな艶な仕種も、以前の涼子には見られなかった。

「しかし、いい女だ」

遊佐も起き出して、髪を整えている涼子の横に立つ。

「どう、しはったんですか」

「見とれているんだ」

涼子はきこえぬというように、髪を上に束ねる。

「ただの綺麗な女から、いい女になった」

「それ、どういう意味ですか」

「セクシーだということさ」

「いやや……」

「そんなことはない。美しい女は沢山いるけれど、セクシーな女はそういない」

涼子はまだ、遊佐のいう真意がわからないようである。

「君は、自分で思っている以上に素敵なんだ」

そんな女を思いのままに翻弄したことで、遊佐は京都まできた甲斐があったと思う。

だが涼子が髪を直して立ち上がったとき、遊佐ははじめて、菊乃の存在に気がつく。

「それじゃ、お休みなさい」

午前二時を過ぎたばかりだが、菊乃からいつ電話がかかってくるかしれない。

「明日また、モーニング・コールで起こしてあげます」

「それより、一度でいいから、朝まで一緒にいたい」

「そんなん、できしません」

涼子はきっぱりと首を横に振る。

「そんなことしたら、お母さん、また倒れはります」

それをいわれると、遊佐としては黙らざるをえない。

「罰が当たります」

ベッドのなかでは女になりきっているが、服を着ると、涼子は一人の娘に戻るようである。

遠くの山々はもちろん、近くの野も道もすべて雨に濡れている。激しく川や水路を溢れさせるほどの雨ではない。風もなく、細い雨足だけが大地に降り続く。一見、梅雨のようだが、それにしては雨の彼方がよく見通せる。雨の先に、深まる秋がとどまっている。

新幹線は三島をすぎて、そろそろ箱根にかかるらしい。車窓のまわりに山が迫り、緑の木木も黒い山肌も、すべて雨に濡れている。

この分では、京都から東京まで、東海道はすべて雨雲におおわれているのかもしれない。

遊佐は雨滴の走る窓を見ながら、軽い眠気を覚えた。

さすがに、昨夜遅く京都に来て、朝一番の新幹線で帰るのは疲れる。これでは、東京と京都を通勤しているようなものである。

家に内緒で、秘書をあざむき、躰を疲れさせてまで、京都に行くのはなになのか。

雨に洗われる風景を見ながら、遊佐は他人ごとのように考える。

「それほど、涼子が好きなのか……」

改めて尋ねるまでもなく、それは自明の理である。

好きでなければ、一夜の逢瀬のために、京都まで駆けつけたりはしない。

だが皆が家路につくとき、一人、新幹線のホームに立って家から遠去かっていくのは不思議な感じである。そしていま、昼近くに東京へ戻ってくるというのも奇妙である。

性懲りもなく、呆れた奴だと思いながら、遊佐はそのなかに己の青春も見ている。

若いころからもてあましていた無鉄砲さが、いま再び頭を擡げているようである。

そんな自分に呆れながら、一方でそんな自分を少し愛しく思っているところもある。

だがそんな一人よがりの思いから醒めると、遊佐は怖くなる。

はたして、このまま涼子を愛し続けていいのだろうか……。

若いとき、年上の子供がいる女性に惹かれて深入りしたことがあった。早く別れなければ、と思いながら、気づいたときには同棲に近い関係にまですすんでいた。

幸いその女性は他の男性と結婚し、別れることになった。運よく相手のほうから離れてくれたが、あのまま続いていたら底なし沼に入りこんだかもしれない。

考えてみると、そのころから遊佐には危ういものに惹かれる傾向があったのかもしれない。

「いけない」と百も承知で、そのなかへ入っていく。

どうして、そんな危ういことをするのか、自分でもわからない。

だが強いていえば、一種の堕落への憧れかもしれない。このままでは自分が駄目になると思いながら、そのなかに堕ちていく。

自堕落のなかの快感、とでもいうべきか。

もしかすると、この種の憧れは、男はみな心に秘めているのかもしれない。いけないといわれると、ますますそこに行きたくなる。一種の怖いもの見たさとも、通じるかもしれない。

雨の窓ぎわに片肘を当てながら、遊佐は煙草を喫う。

雨の日は煙草が旨い。ゆっくりと半ばまで喫って、遊佐はもう一度考える。

それにしても、どこかできっぱりと、けじめをつけなければならない。いつまでも、菊乃へも涼子へも、ほどよい顔をしているわけにはいかない。このままいけば、遊佐はもちろん、二人も破滅の道へ転がりこむことになる。

誰にいわれるまでもなく、その光景が先に見える。

だがそれを知りながら、遊佐はなお涼子をあきらめる気にはなれない。


正午すぎに会社に戻ってから、遊佐は休みなく働いた。

午前の会議に出られなかったので、まずその報告をきいたあと、決裁の書類に目を通した。そのあと、三組の来客と会い、それから営業関係の会議に出た。終わってもう一組の客と会っていると、窓の外はすでに暮れていた。

相変わらず雨は降り続き、濡れたネオンの下を、色とりどりの傘が揺れていく。

街灯の真下を、水色に花柄が浮いた傘が行く。ビルの窓から見下ろしているので、傘をさしている人の顔はわからないが、遊佐は何故ともなく、涼子を思い出した。

あんな愛らしい傘を持っているのは、涼子のような女に違いない。だが花柄の傘はすぐ視界から消えて、また新しい傘が流れてくる。

その夜、遊佐は八時に出版社を経営している浅倉と会った。それまで、遊佐は広告代理店の人と夕食をともにしたが、浅倉も別の用件があったようである。

銀座の鮨屋で待ち合わせることにして、定刻に行くと、浅倉はすでにきてカウンターに坐っていた。

「もう、お前は食べてきたんだろう」

「いや、洋食だったからね、鮨なら少し入る」

「相変わらず、忙しそうだな。電話をしてもなかなか摑まらない」

浅倉はすでに鮨をつまんでいる。

「そんなことは、ないはずだが……」

「いやいや、公私ともにさ」

浅倉とは、京都の「たつむら」にも一緒に行って、菊乃とのことも知っている。しかし涼子のことまでは知らないはずである。

「今日も、午前中、いなかったろう」

浅倉から、今夜、会おうといってきたのは午後三時ごろだった。

「朝から、どこに行っていたのだ」

遊佐は熱い燗酒を、一口飲んでからいった。

「京都さ……」

「女将に、逢いにか」

「違う……」

遊佐は土瓶蒸しの蓋をあけて柚子を絞った。秋の香りを含んだ湯気が顔一杯に広がってくる。

「まさか、涼子さんじゃないだろうな」

「いや、そうだ」

浅倉は手にトロを持ったまま、遊佐を見詰めた。

「やっぱり……。なんとなく、そんな気がしていたんだ」

浅倉は思いだしたようにトロを口に抛りこんだ。

「そんなことをして、大丈夫か」

大丈夫も、大丈夫でないも、すでに二人はかなり先まですすんでいる。

遊佐は思いきって、これまで三度ほど、京都に逢いにいっていることを告げた。

「そんなにか……」

「もちろん、お前以外には、誰にも話していない」

しかし遊佐は涼子とのことを、誰かに知らせておきたかった。それは、教えて自慢するなどということでなく、自分以外の者に知らせて、少し気が楽になりたかった、といったほうが当たっている。

「呆れたんだろう」

「まあな……」

遊佐は浅倉の盃に酒を注いだ。

「それで、菊乃さんのほうは、どうするんだ」

「困っている」

「困っているで、すまないだろう」

浅倉が怒ったように顔を近づけてきた。

「菊乃さんの立場は、どうなるんだ」

初め会ったときから、浅倉は菊乃を気に入っていたようである。遊佐と関係があると知って、それ以上興味を示さなかったが、好意を抱いていたことはたしかである。

「二人ともうまく、なんてわけにはいかないぞ」

「もちろん、わかっている」

遊佐はさざえの壺焼きをつまんでから、箸をおいた。

「これは、少し甘すぎるんじゃないか」

「お気に、召しませんでしたか」

カウンターの向こうにいた店の主人が慌てて近づいてきた。

「こんなにたれを甘くして、煮すぎちゃ駄目だよ」

主人はさざえを下げると、自分の指で舐めてみた。

「たしかに、少し甘すぎますね、いますぐ、新しいのととり替えます」

味つけをしたのは主人でなく奥の職人らしい。料理を返しながら若い男に説明している。

「たれは薄醤油で生姜味にして、葱を少し添えるだけでいい」

「わかりました」

料理の味について、遊佐は正直にいう。せっかく贔屓にして来ているのだから、思ったとおりにいうのが愛情というものである。

だが、いま突然、どうしてそんな文句をいいだしたのか、自分でもわからない。

浅倉に、涼子とのことをたしなめられたせいなのか、それとも、前々から思っていたことをいっただけなのか。

「そのこと、菊乃さんは知っているのか」

浅倉が、話題を元に戻した。

「はっきりではないが、うすうすは感じているかもしれない」

「それじゃ、菊乃さんは苦しんでいるだろう」

「………」

「しかし、どうして、そんなことになったんだ」

その質問も答えにくい。一言でいえば、涼子を好きになったからだが、そんな単純な答えでは、浅倉は納得しそうもない。

「それで、どうするつもりだ。涼子さんと別れる気はないのか」

遊佐が黙っていると、浅倉が追いかけるようにきいた。

「菊乃さんに、きっぱりといわなければいかんだろう」

「そうしたいけど、相手の立場もある」

「いい加減なことをいうな」

浅倉が拳でカウンターの端をどすんと叩いた。

「勝手に彼女を苦しめといて、いまさら、彼女の立場もなにもないだろう」

「いや、違う……」

浅倉がいうように、いま菊乃に正直に告げて謝るのは簡単だが、そうなったら菊乃はどうなるのか。すでに体調を崩しているのに、さらに追い討ちをかけることになるかもしれない。

曖昧にして狡いといわれたらそれまでだが、といって、正直に告白すればいいというものでもない。

「お前は、卑怯だ」

「……」

「愛しているの、なんのといって、ただの好色なだけじゃないか」

それと同じことを、クラブの女性にいわれたこともあった。もっともそのときは、他人になぞらえて母と娘、二人と関係している男のことをいったので、相手も気軽に答えたのかもしれないが、「まともな人の、やることではないわ」といっていた。

しかし遊佐には、そうは思えない。

きちんとした善良といわれる男のなかにも、その種の欲望は潜んでいる。それは地位とか教養にも関係なく、周囲の状況さえ許せばやりかねない危うさを、男という性は秘めている。

「絶対、やってはいかんことだ」

遊佐は答えず、酒を飲んだ。

もちろんそんなことは百も承知である。母と親しくしていながら娘に近づくなど、許されることではない。だがそうと知りつつ、現実にはそうなったのである。それをいまさら蒸し返して議論したところで仕方がない。

「きっぱりと、別れるべきだよ」

「もちろん、そうしたいが……」

いま、遊佐はあきらかに、菊乃から離れたいと願っている。涼子と濃密な関係をくり返しながら、菊乃と逢うのは辛い。

だがどちらかというと、いま二人の関係に執着しているのは、むしろ菊乃のほうである。いままでの馴染みにくわえて、仕事のことでも相談相手になるところから、遊佐を頼りにしていのかもしれない。

「曖昧にしておくのはまずいぞ」

浅倉が思い出したように鮨をつまむ。

「別れないのか」

「それより、これが女だったら、どうだろう」

「女だったら、とは、どういうことだ」

「俺の立場が女で、初め父親のほうを好きだったのに、途中から息子を好きになる」

「そんな……」

「ないわけじゃないだろう。逆の場合もあるかもしれない。初め、息子を好きだったのが、途中から、お父さんに会って、そちらのほうに惹かれる」

「馬鹿、馬鹿しい……」

「でもそんなとき、女はどうする」

「そんなことは、親父と息子で解決するよりないだろう」

「そうだろう」

「お前は、なにをいいたいんだ」

「べつに……。ただ男の場合は、世間の目がいささか厳しいということだ」

「よくわからんな」

「例えば女の場合、初め親父を好きだった女が、途中から息子のほうを好きになったとする。こういう場合、その女を男のように、卑怯だとか狡いとかいって責めるだろうか」

「親父より、若い男を好きになるのは、仕方がないだろう」

「女の場合はそれですむ」

「お前は、だから、自分のやっていることは正しい、といいたいわけか」

「違う、そんなことをいう気はない。ただ、一方的に責められても困る、ということだ」

「しかし、お前は勝手なことをしたんだから、仕方がないじゃないか」

「それはわかっている。わかっているが、といってすぐ母親に向かって、別れたい、というわけにもいかない」

「直接いわなくても、なんとなく態度で示すことはできるだろう」

「もちろん示している。しかし、彼女のほうが……」

「気がつこうと、しないのか」

「よくわからないが、気がつくのが怖いのかもしれない」

遊佐は新しい酒を、浅倉と自分の盃に注いだ。

「じゃあ、いままでどおり、曖昧にしておくということか」

「そういうわけでもないが、はっきりいって苦しめたくない」

「曖昧にしておくのが、男の優しさだと、いいたいんだな」

「優しさかどうかはわからないが、思いやりではある。その証拠に、彼女のことは心配している」

「心配しているけど、その裏では悪いこともしている」

「お前に悪いといわれたら、なにもいうことはない」

こういうことは、理屈で説明してもわかることではないのかもしれない。遊佐は開き直った気持になって酒を呷(あお)った。

九月二十日の涼子の誕生日に、遊佐はプチ・ダイヤモンドの飾りのついたネックレスを贈った。

といっても、京都に行って直接手渡したわけではない。

せっかくの誕生祝いだから、渡したかったが、生憎(あいにく)、その日は大事な会合があって出かけられなかった。それに菊乃が京都にいて、出かけて行っても、涼子と二人で過ごすわけにいかない。

いっそ別の日にとも思ったが、その前後はスケジュールがたてこんでいて時間がとれそうもない。

仕方なく送ることにしたが、品物は遊佐が自分で選んだ。

前から、涼子が小さなダイヤのネックレスを欲しがっているのを知っていた。

涼子は、お座敷に必要な和服関係のものは菊乃から買ってもらっているようだが、洋服のときに必要なアクセサリーを意外にもっていない。

いろいろ迷った末、遊佐は〇・三カラットのダイヤがついたネックレスを選んだ。

「これなら、どこに出しても恥ずかしくありません」

女性の店員がいったが、遊佐はもっと高いものを考えていた。

だがあまり高価なものでは、若い女性に不似合いだし、菊乃にも咎められてしまう。

二十四歳になる女性が、身につけるものとしては、それくらいが限度かもしれない。

遊佐が苦心したのは、それより送る方法である。送り主に遊佐の名を書いては菊乃に知られてしまう。

考えた末、会社にいる女性の名を借りて送り主にした。これなら、万一、菊乃の目に触れても疑われることはない。

涼子からは、翌日、すぐお礼の電話がきた。

「素晴らしい贈り物を、ありがとうございました」

遅い颱風の余波とかで、雨まじりの風の日だったが、深夜の電話の声はよくとおる。

「この前いただいた指輪と一緒に、大切にします」

そういえば、涼子に指輪をプレゼントしたのは、四月の桜のときだった。鴨川べりから平安神宮と、枝垂れ桜を見て歩いたあと、デパートに寄って選んだ。

ゴールドのV型にカットされたデザインだったが、今度のプレゼントのほうが値段ははるかに高い。

「明日、早速つけてみます」

「誕生日に行けなくて残念だけど、今度ゆっくり逢おう。お母さんは、いつ東京にくるのかな」

菊乃は毎週、週の初めに東京にきて、週末に京都に帰っていく。

だがこの一カ月くらいは不規則で、一度くると一週間くらいいることもあるし、一日で帰ることもある。仕事の都合で不規則なのだろうが、遊佐には、たえず予定を変更して、涼子と密会するのを邪魔しているように思えなくもない。

今度の誕生日も、いままでの例でいえば、東京にいる日であったが、一週間前に京都へ帰ったままである。

「母は、もうしばらく、こちらにいるようです」

「じゃあ、誕生日は一緒にいたわけだね」

「一緒ですけど、お友達とお食事しただけで、母とはべつに……」

「でも、お母さんからのプレゼントは？」

「和服用のハンドバッグを、買ってもらいました」

遊佐は、菊乃と涼子と、二人連れ立って京の街を行く姿を想像した。

最近、菊乃は少し痩せて、いっそう涼子の体型に近づいてきた。

菊乃は日中も和服だが、涼子は洋服が多い。二人寄り添ってショーケースを眺めている姿は、人目をひいたに違いない。

書斎の窓の外で、樹の葉が激しく揺れている。颱風は東海地方に上陸するらしく、東京は夕方から暴風雨圏に入ったが、京都は小雨が降っているだけらしい。

しばらく颱風の話をしてから、涼子が改まった口調になった。

「もう少しお話ししてても、よろしいですか」

夜の十一時を過ぎて、遊佐は自分の部屋に一人でいる。電話も直通なので、家人にきかれる心配はない。

「もちろん、かまわないが、君のほうは？」

「母はお客さまと、一寸、出かけましたので……」

店を終わって、涼子だけ先に家に帰ってきたらしい。

「昨日、母にいわれました」

「なにを？」

「結婚のことです」

突然、話題が変わって、遊佐は受話器を持ちなおした。

「母が、もうそろそろ結婚をしたらどうかというのです」

「しかし……」

「もちろん、わたしは早いといったんですけど……」

考えてみると、涼子は二十四歳になったのだから、そう早いともいえない。

「相手の人は？」

「二十七歳で、銀行につとめる普通のサラリーマンです」

「君はその人を、知っているの？」

「室町(むろまち)にある問屋さんのぼんぼんですから、名前をいわれたら、あの人かなあ、という程度のことで……」

「じゃあ、見合いじゃないか」

「そうですけど、お家はよく知っているし、三男坊で養子にきてもいい、というてはるのやそうで」

涼子が一人娘である以上、養子をとろうとするのは当然かもしれない。

「こちらの大学を出やはって、うちはよう知りませんけど、大人しくて優しい人やそうです」

「写真は見たの？」

「すらっとして、背は百八十センチ近くあるようです。顔はまずまずといったところかな」

涼子の声は意外に明るい。

「それで、君はなんといったの？」

「すぐ断るのも、悪いでしょう」

「………」

「母はこんないいご縁はない、これ以上の条件の人はいないって、強くすすめるんです」

「君自身の気持はどうなの？」

「わたしは、まだ一人でいたいわ」

「しかし、そのまま放っておいたら……」

「わかってます、けど、母が泣かはるから……」

「お母さんが泣いた？」

「このごろ、母は興奮してくると、すぐ涙ぐむんです。なぜ結婚しないのかって、最後は怒ってものもいわはらへんようになって……」

母と娘が向かい合っている姿を、遊佐は想像した。

「じゃあ、その話は？」

「もちろん、断ります。母もわたしが結婚する気がないのはわかってます。それに、わたし、若い人は頼りなくて」

遊佐は一つ息をついた。

このまま遊佐が涼子と際き合っていても、結婚はできない。涼子もその気はないし、たとえ涼子が納得したとしても、菊乃が許すわけもない。

結婚できるあてもなく、若い女性をいつまでも縛りつけておくのは、身勝手というものである。

それはよくわかっているが、いましばらく涼子を手元においておきたい。いずれ去っていくのはわかっていても、いますぐ手放せというのは酷である。このあたりの気持は、常識や理性では律しきれない。

「そんなこと、お母さんはなにもいってなかった……」

結果はともかく、遊佐のいないところで、そんな話がすすめられていたとは驚きである。

「お母さんは、どうしてそんなに早く、君を結婚させたがるのだろう」

以前、菊乃は、「たつむら」は、自分の代で終わってもいいといっていた。涼子の気持次第で、やめるならやめてもかまわない。そのあたりは弾力的に対処しようとしているようだった。

それが急に泣いてまで、結婚させようとしたのはなぜなのか。

「じゃあ、これからも、何度もいわれるね」

遊佐がきくと、涼子がきっぱりと答えた。

「母は、もうなにもいわないと思います」

「どうして?」

「もしかすると、母はわたしをためしたのかもしれません」

「ためす？」

「結婚の話をもちだすことで、わたし達のことを探らはったのかも……」

わたし達、という言葉のなかに、遊佐は自分が含まれていることに気がついた。

「そう、思はらしませんか」

たしかにそういわれると、そういう気がしないでもない。結婚話に対する反応で、好きな人の有る無しくらいは探ることができる。

「今度のことで、母はわかったと思います。わたしが結婚する気のないことを……そして、おじさまを好きなことを……」

「僕を？」

「母は前から疑っていましたから」

「…………」

「でも、いいでしょう」

遊佐は受話器を握りしめた。いま目の前に涼子がいたら、力のかぎり抱きしめてやりたい。母親の詰問に耐えて、涼子がそこまで自分を愛する気持を、守り続けてくれたことが嬉しい。

「ありがとう……」

「どうしたんですか」

電話で表情が見えないせいか、涼子は遊佐の返事の意味が呑みこめないようである。

「君が、そんなふうにいってくれるとは思わなかった」

遊佐はうなずきながら、菊乃のことを思った。

もし涼子がいったとおり、今度のことで、二人のことがわかったとしたら、菊乃はどうするのか。今度はこちらに別れるように迫ってくるか、それとも別の手段をこうじるのか。

「それで、お母さんはどうしているの？」

「べつに、変わったことはありませんけど、今日は珍しくお座敷で酔うてはりました」

ときどき、菊乃は宴席で盃（さかずき）を受けるが、酔うほど飲んだことはない。たまに気分がいいときに飲むが、それも遊佐と二人になってからが多い。

「お店のあと、飲みに行ったんだね」

「とめたんですけど、行くいうてきかはらへんのです」

また風が一段と強くなったようである。空を駆ける音が遠くきこえてくる。

「このごろ、母はお酒が好きになって、昼から飲むこともあるんです」

「日中に？」

「おじさま、知りませんでした」

そういえば、たまに会社に電話をよこすとき、言葉がもつれている感じのときがあったが、それが飲んでいたときであったのかもしれない。

「なにも食べないで、お酒だけを……」

「それはよくないな。そのこと、お医者さんは知っているのかな」

「お医者さんに、少し飲んだほうが気がまぎれていい、といわれたというんです。今度、母に会ったら、おじさまからも注意をして下さい」

うなずきたいが、原因がこちらにあるのではいいにくい。

「じゃあ、今夜はお母さんは遅くなるのかな」

「行った店はわかっているので、あとで電話をしてみます」

結婚話でいい争っても、涼子はやはり母を案じているようである。

「もう、十二時ですね」

涼子が思い出したようにいった。

「じゃあ、そろそろ休みます」

休む、という言葉をきいて、遊佐はさらに逢(あ)いたくなった。いまもし涼子が東京にいるなら、すぐ駆けて行きたい。

「逢いたいな……」

子供っぽいと思いながら、涼子と話していると、遊佐は自然に少年のような気持になる。

「今度、誕生日のかわりに、どこかへ旅行しよう」

同じことをもう何度もいって、まだ実現しないでいる。

「これからは紅葉だけど、どこか山峡(やまあい)の温泉にでも行こうか、十月か、十一月の初めに連休があるけど」

「………」

「思いきって、行こう」

遊佐がもう一度誘うと、涼子はべつのことをいった。

「十一月の、母の誕生日、ご存じですか」

「八日だったか、九日だったかな」

「八日です、その日に、母になにかプレゼントをしてあげて下さい」

意外な申し込みで、遊佐が黙っていると、涼子がさらにいう。

「きっと、母が喜びます」

「わかった……」

「それじゃ、お休みなさい。遅くまで長々と話しこんでご免なさい」

「もう、休むの？」

「母から、電話がかかってくるかもしれません」

遊佐はまだ話したかったが、涼子は母のことが気になるようである。

「お休み……」

受話器をおくと、改めて風の音が迫ってきた。遊佐はその音をききながら、一人で母を待っている涼子の姿を想像した。

秋寂ぶ

十月の半ばを過ぎて、菊乃の体調はいくらか恢復したようである。

といっても、完全にもとどおりになったわけではない。相変わらず耳鳴りや頭痛はあるが、夏の終わりのころのように、眩暈で休むというようなことはない。

病院からもらった薬が効いてきたのか、それとも、ようやく訪れた秋の爽やかさが、躰に好影響を与えたのか、お座敷の客達も、「顔色がようなって、前よりも元気にならはったなあ」と、いってくれる。

だが菊乃自身としては、快くなったというより、病気をあやしながら、うまくつき合う方法を知った、といったほうが当たっているような気がする。

焦っても、そう簡単に治るものではない。この種の病気はあまり気にせず、暢気に治していくべきである。そう思ったときから、いくらか気持が楽になった。

だが、病気の原因の一つと思われる身辺の気がかりなことは、相変わらず解決されぬままである。

遊佐と涼子との関係はどうなっているのか……。

春から夏にかけて、菊乃は次第に疑いを深め、夏の終わりごろには、二人が結ばれているのはほぼ間違いない、と確信するまでにいたった。

メニエル氏病という厄介(やっかい)な病気にとりつかれて店で倒れたのも、そのころであった。

それからいままで、菊乃は何度遊佐に尋ねようと思ったかしれない。一度は喉元(のどもと)まで出かかって慌(あわ)てて水を飲んだこともある。

そうまでして、きかずにおさえたのは、知って惨(みじ)めになりたくないという気持が強かったからである。

それは菊乃の女としての意地でもあった。

だが、意地を張ったところで、疑問が消えるわけではない。

九月の涼子の誕生日に、菊乃は思いきって結婚話をもちだして、娘の反応を探ってみた。

もちろん、いますぐ涼子に結婚して欲しいわけではないが、娘の気持を知るには絶好の機会である。

だが思ったとおり、涼子は気のない返事をくり返し、最後にはきっぱりといいきった。

「うちはまだ当分、結婚する気はありません」

「誰か、好きな人でもいやはるのか?」

その質問のほうが、菊乃がききたいことだった。

涼子は一瞬、怯えたように目を伏せ、それからゆっくりと首を左右に振った。

「そんな人、いいしません」

否定はしているが、力のない声は、好きな人がいることを肯定しているようなものだった。

「もしいやはるのやったら、正直にいうて。あんたがその人を好きで、結婚したいと思うてるんなら、お母さん、その人に会うてもいいし……」

「うち、そんな人、いいしません、誰もあらしません」

必死に否定すればするほど、偽りであることが見えてくる。

「隠すなんて水くさいやないか、お母さんにだけ、こっそり教えて」

だが涼子はかたくなに首を横に振って口を割らなかった。最後には菊乃が泣かんばかりに頼んでも、答えない。

あきれた頑固さだが、その強さも、親ゆずりかもしれない。

涼子の抵抗で、菊乃はさらに疑いを深めたが、一方ではその頑固さに安堵してもいた。

「あれほど否定するところをみると、やはり違うのかもしれない……」

溺れる者は藁をも摑むの心理で、つい都合のいいほうに考えたくなる。

ともかく、あれだけ否定するのだから、万一、あったとしても本人は反省はしているのであろう。

そういいきかせると、菊乃の気持も少し楽になった。

秋晴れとともに、体調が恢復したのは、そんな割り切り方ができたせいかもしれない。

菊乃はもう、遊佐と涼子とのことは考えないことにした。

「それより、仕事のほうへ熱中しよう」

改めて振り返ると、店のほうは順調に推移していた。京都の店は、菊乃がときたま休むので客から多少苦情はくるが、そのわりには客足も落ちず、まずまずの成績である。

それより東京の店が、予想以上に順調で賑わっている。

京都の店からみると、メインの懐石料理のコースもはるかに安いが、カウンターとテーブルだけで人件費がかからぬうえ、朝から夜まで客が入る効率のよさで、売り上げは本店をしのぐ。しかもホテルの出店なので、そのほとんどが現金収入である。

「さすがに東京や……」

初めは恐る恐る出した店だったが、いまははっきりと、出してよかったといえる。

もっともこの半年で、店のなかで多少のトラブルはあった。一つは調理人と仲居が一人ずつ辞めてしまったことである。いずれも些細な理由からだが、気が合わないのはいかんともしがたい。辞めるといわれて、菊乃はいったんは引き留めたが、さらに辞めるというのに対しては、それ以上、慰留はしなかった。

せっかく一緒に働いてきた仲間だが、数あるなかには、一人や二人、店に馴染めない者もでてくる。

こういうところ、菊乃は比較的あっさりしていて、あまり深追いせず、本人の意志にまかせる。

「なるようにしかならへん」

少し無責任だが、そう思って対処するほうが気が楽だし、それが長続きする秘訣でもある。

幸い、欠員はすぐ補充がついたが、東京の店には一つだけ不満がある。

ビルのコーナーを借りたせいもあって、個室がないことである。

「あんたのところは、お部屋がないからなあ……」

馴染みの客にそういわれる度に、菊乃は口惜しい思いをする。たしかに個室があったら、もう少し本格的な懐石料理を、ゆっくりと賞味してもらうことができる。

もちろん、店をつくる時点で、座敷のことを考えないわけではなかった。実際、初めの設計では、二つの個室まで計画されていた。

それをすべてなくしたのは、遊佐の意見を入れたからである。

狭いところに個室をとるより、全部テーブル席にしたほうが効率がいい。遊佐の意見はたしかで、そのこと自体は間違っていなかった。おかげで夕食どきなど、満席になり、売り上げもあがった。

だがテーブル客では、所詮はホテルの泊まり客か、軽い食事の客にかぎられてしまう。値段もやや大衆的で、京都の「たつむら」と同じ料理は出しにくい。

菊乃は冗談めかして、遊佐にいったことがある。

「やっぱり、お部屋を一つくらいつくっておいたらよろしおしたなあ」

だが遊佐は苦笑したまま、とりあわなかった。もともと遊佐は、菊乃のやることを、お嬢さんのお遊び、といった感じで見ているところがあり、東京の店を出すときも、置物や器に金をかけようとする菊乃を極力セーブした。遊佐は初めから、ホテルの出店だから大衆的でいい、という考えのようである。

菊乃も初めは自信がなくて、そのほうが無難なのだと思いこんでいた。

だがこれだけ賑わってくると、少し贅沢をしたくなる。

思いきって改造しようかと思うが、遊佐にいっても、一笑に付されそうでいいかねる。

菊乃が店の改装計画について、初めて相談したのは、室町の「やま善」の主人の井上であった。

十月の末に、京都に戻って銀行廻りをしたあと、二人だけで食事をしたときである。

「今度、東京のお店に一つお部屋をつくろうか、思うてます」

菊乃がいうと、井上は即座にうなずいた。

「そりゃ、ええかもしれへんなあ」

「やま善」は古くからある呉服の問屋で、全国の和服専門店やデパートに手広く呉服を卸している。

それだけに、井上は年に数回、各地の呉服店の経営者を京都に招いたときなど、必ず「たつむら」をつかってくれる。

年齢はそろそろ還暦で、頭はきれいに禿げあがっているが、世話好きでなにかと話しやすい。

一カ月前の涼子の縁談も、井上がもってきてくれたもので、東京店のオープンのときにも京都からわざわざきてくれた。

「部屋があったら、東京でもつかわせてもらえるのに」

井上から、そんなことをいわれると、ますます欲しくなる。

「おおきに、嬉しいおす」

井上が初めて「たつむら」に来たのは二十年以上前で、それ以来のつき合いだが、とくに親しくなったのは、この数カ月のことである。

菊乃が遊佐とのことで悩み、いくらか疎遠になるにつれて、井上が身近な存在になってきた。いわば遊佐との隙間をうずめるように、井上が入りこんできたといえる。

といっても、井上とのあいだには、男女の生臭い関係はない。初めから井上とは家族ぐるみのつき合いで、菊乃は井上の妻も知っている。このあたりが安心できるところで、それだけに、井上にはなんでも正直に告げられる。

「せっかくやから、東京のお客さんにも、ゆっくりくつろいでもろたほうがええなあ」

「やっぱり、おたくもそう思いやっしゃろ」

こんなことを井上に話したのは初めてなのに、よく意見が合う。

「初めから、つくっておけばよろしおした」

遊佐とは深い仲だが、菊乃はふとしたことで、ときどき違和感を覚えることがあった。

たとえば、「たつむら」に芸妓を呼ぶときにも、遊佐ははっきりと「きれいな妓を頼むよ」といい、都合がつかないと、途端に渋い顔をする。またお座敷のあと、芸妓達を連れて飲みに行くときも、きれいな妓だけを選んで、老妓達には見向きもしない。

このあたりは東京風で、自分がお金を出すのだから、気に入った妓だけ指名するのは当然と思っているようだが、京の花街ではそうはいかない。芸妓のなかにも、美しい妓もさほどでもない妓も、老妓もいる。それらすべてをまとめて上手に遊んでこそ、つうというものである。「遊ぶ」は「遊ばせる」で、そのなかで人生を学んでいくものである。

菊乃はそういいたいが、遊佐はそのあたりの感覚がいま一つわかっていないようである。一度、たしなめると、「そんなの、馬鹿げている」と、聞き入れる気配もなかった。

といって、遊佐はケチなわけでない。それより遊ぶ以上はそれ相応の費用を出すから、美しい妓を集めて楽しく過ごしたい、ということらしい。

このあたりになると、京都の伝統と東京の合理主義の違いで、どちらがいい悪いといえない。それぞれに育ってきた土地の違いが、ふとしたことをきっかけに、表に現れたというだけのことである。

だが正直いって、菊乃が遊佐に惹かれた理由の一つは、この感覚の違いである。遊佐に会った当初、彼の東京的な考え方が、菊乃には新鮮で爽やかに映った。いままで狭い京都の視点でしか考えられなかったのが、遊佐と際き合うことによって、もう一廻り大きいところから、見直すことができるようになった。

東京へ店を出せたのも、個室をなくして経営的に成功したのも、すべて遊佐のおかげである。

だがいまは、遊佐の東京的な考え方が少し鬱陶しい。逆らうというわけではないが、いくらか距離をおいて考えてみたい。菊乃がそんな気持になった裏には、やはり涼子とのことが尾を引いている。あの人がそんなことをするのかと思った途端、いままで憧れに見えていたものが、少し色褪せてきた。

「けど、改装するとなると、店を休まなければいかんなあ……」

井上は自分のことのように真剣に考えてくれる。

「まだ、店を出して半年も経っていないんやろう」

「もちろん、直すいうても来年のことどすけど」

改装となると、またお金がかかるが、菊乃はそのことに関してはあまり心配していない。いまの経営状態からいえば、銀行から借りられそうである。

それより菊乃が気になるのは、遊佐から借りている七千万である。一応、借用証は入れてあるが、遊佐はいつ返してもいいといわんばかりに、なにも請求してこない。

菊乃もそれに甘えて、まだ一銭も返していないが、年末には少し返したい。遊佐と親しいときならともかく、いまはなおさら、きっぱりと返したい。

「少し、協力しようか」

井上は、援助が欲しくて相談したと思ったようである。

「そんなん、結構どす」

菊乃は慌ててさえぎった。

「それより、東京でも、きちんとしたお料理を出したいのどす」

「あんたの気持、ようわかるわ。お店は儲かればいい、というだけのことやない。東京の人に『たつむら』の本当の味を教えてやらなあかんわ」

井上は京都育ちだけに、東京を田舎と思っているところがある。そうした京都人独特の気位の高さが、いまの菊乃には快い。

「おたくとお話をして、やっと決心がつきました。ほんまにありがとうございました」

丁重に頭を下げながら、菊乃の心のなかには、なお遊佐の顔が残っている。

十一月に入ると、東京の朝夕は急に冷えこんでくるが、その分だけ、秋晴れの日も多くなる。

十一月初めの菊乃の誕生日もよく晴れて、朝から陽が眩しかった。

前夜、どんなに遅くなっても、菊乃は毎朝、七時には起きてお祈りをする。

といっても、衣服を整え、神棚や仏壇の前に坐るわけではない。ベッドの上で横になったまま、一分間、掌を合わせるだけである。

その日も、七時に目覚めて、床の中で掌を合わせた。

横着というか、ずいぶん気楽なお祈りだが、この八年間、欠かしたことがない。

そもそものきっかけは、別れたままになっている夫のことで悩んでいたとき、奈良に住んでいる教祖さまのところに行ってからである。

お茶屋をやっている育子の紹介だったが、行ってみると、普通の老婆で、仕舞屋風の家に棲んで、新興宗教らしいものものしさはない。そこで悩みを打ち明けると、教祖である老婆に、毎朝きまった時間に一分間だけお祈りをすることをすすめられた。さらに「日々、健康に生きていられることを、感謝して、最善を尽くしなさい」と忠告してくれた。

あとで考えるとごく平凡なことだったが、心のなかのわだかまりをすべて吐き出したせいか、ずいぶん気持が楽になった。それ以来、二、三カ月に一度ずつ、お参りというか、教えを受けにいっていたが、その教祖さまも三年前に死んでしまった。

いま彼女が生きていてくれたら、沢山、相談したいことがあったのにと、菊乃は残念に思う。

だがそのあとも、毎朝、お祈りする習慣だけは続けている。

朝七時と決めて、初めは辛いこともあったが、慣れてくると、自然にその時間になると目が覚める。

床のなかで掌を合わせるだけでいいのだから、旅にでても簡単にできる。

一分間の祈りのなか味は、今朝もまた目覚めて、新しい日を迎えたことへの感謝と、今日一日の健康である。あとはその日によって、いろいろな願いをくわえる。

誕生日の朝、菊乃は四十七歳まで健康でこられたことを感謝したあと、今夜、遊佐と逢ういっときを、楽しく過ごせるように願った。

お祈りのあと、菊乃はすぐ起きることもあるし、再び眠ることもある。今朝はしばらく床にいて、頭が完全に覚めるのを待ってから起きだした。

手早く着物だけ着て、ベランダのカーテンを開けてみると、秋の陽が流れこむ。

夏のあいだは、どこか空気が淀んでいたのが、いまは上空まで澄み渡り、彼方の林立するビルが朝の光に輝いている。なにか、口笛でもきこえてきそうな秋晴れである。

だが左手の桜の樹の葉はほとんどが色づき、一部は窪地の墓石の上にまで、葉を落としている。

桜は花が早い分だけ、葉が散るのも、早いようである。

菊乃は朝の大気に向かって、一つ大きく息を吸ってからつぶやいた。

「やっぱり、買おうかな……」

半月前に、この部屋の持ち主から、よかったら分譲してもいい、という話をきいていた。

このところ、東京のマンションは値上がりして、この二十坪少しの部屋もかなりの値段である。

土地の高い京都からみてもはるかに高いが、毎月、三十万の家賃を払うのも、少しつまらない。

初めは、ホテル住まいよりは落ち着くと思って借りたのだが、東京の店がこれだけ忙しくなっては、仮住まいではすまなくなった。

将来のことを考えたら、東京にマンションの一軒くらい、持っていてもよさそうである。

幸い、このマンションは半年近く住んで馴染んだし、交通の便もまわりの環境も悪くない。

もっとも娘の涼子は、ベランダの先に墓所があることが気になっているようだが、もともとこのあたりは泉岳寺など、お寺が多いところで、墓があるからこそ、静けさと眺望がたもたれている、という利点もある。

売ってもいいといわれて、急に欲しくなったが、いまマンションを買ってしまっては、東京の店の改装ができなくなる。

住まいを整えるべきか、店を改めるべきか、いずれかとなると、店が先のような気がするが、住まいのほうも大切である。

この数日、迷っていたが、今朝のような爽やかな秋晴れを見ると、つい先にマンションを買うほうに傾いてしまう。

菊乃はしばらくベランダでたたずんでから部屋に戻り、お茶を淹れた。やや濃い煎茶をゆっくりと飲んでから、今日一日のことを考える。

まず午前中に銀行へ行ったあと、店で新しく採用する女性と面接する。そのあと店長と打ち合わせをしてから、六時半には店を出て遊佐と待ち合わせの料理屋に行く。

誕生日に一緒に食事をしようと、遊佐が電話をくれたのは一週間前だった。

これまで、毎年、誕生日には遊佐と食事をしていたが、今年はしっくりといかず、誘いはないかもしれないと思っていただけに、電話をもらったときは嬉しかった。

だがそのくせ、皮肉の一つくらいはいいたくなった。

「わざわざ覚えといとくれやして、ありがとうございます。うちと一緒でもよろしいのどすか」

「もちろん、やっぱり和食がいいでしょう」

「ご無理しやはらへんでも、よろしおすえ」

「別に、無理をしたわけではない」

どこまで嫌味をいう女なのか。今夜、逢うたら、いけずな女にならんとこう、と自分にいいきかせながら、菊乃は最後は素直にうなずいた。


その夜、遊佐が指定した店は、隅田川ぞいの葭町にある料理屋だった。

東京で食事をするときは、遊佐は機会ある度に、菊乃を新しい店に連れていってくれる。東京にあまり馴染みのない菊乃に、いろいろなところを見せてやろうという親切心からのようである。

出がけに京都から電話が入って、約束の七時に少し遅れていくと、遊佐はすでに着いて二階の座敷に坐っていた。さすがに古い料亭だけに、階段や廊下は黒光りして座敷もゆったりとしているが、床を背にした上席があいている。菊乃が戸惑っていると、遊佐が手を伸ばしてすすめる。

「今日は、君が主賓だから」

「そんなん、女が坐ったらおかしおす」

「いいから、坐りなさい」

命令されて、菊乃は仕方なく上席に坐る。

「昔は、この隅田川ぞいにずらりと料理屋が並んでいたんだが、最近はすっかり減ってしまった」

仲居が左手の障子を開けてくれると、窓ごしに橋が見え、その下を川が流れている。夜なので黒い空間としか見えないが、両岸のネオンが映って川幅の大きさが知れる。

「あれ、屋形船どすか?」

眺めていると、左手から明かりのついた舟が下ってきて、なかで二、三十人の客が川からの夜景を楽しんでいる。

「以前は風情があったんだが、最近は護岸工事とかで堤を高くしてしまって、川を見ながら食事をできるのは、この店のこの部屋だけになってしまった」

遊佐は誕生日の菊乃のために、わざわざ川の見える部屋をとってくれたようである。

「じゃあ、おめでとう」

舟が去ったところで、互いの盃に酒が注がれた。

「蠟燭がないけど、まあ、いいだろう」

「のうて、助かりました」

この誕生日で、菊乃は四十七歳になるが、年齢の数ほど蠟燭を立てられてはたまらない。

「本当に、自分がこんな年齢になろうとは、思うてもいませんでした」

「君がそんなことをいったら、こちらはどうするのだ」

遊佐は菊乃の三歳上だが、来年初めの誕生日がくるまでは、二人のあいだは二歳の開きしかないことになる。

「男のお方はよろしおす。五十になっても、まだまだ男の盛りですから」

菊乃が慰めてくれるが、遊佐は黙って盃を干してから小さな包みをとりだす。

「誕生日のお祝いだ。気にいってくれるかどうか、わからないけど」

「へえ、なんどす」

菊乃は電話のときの皮肉も忘れて、目を輝かす。

「あけてよろしおすか」

リボンのかかった包みを開くと、四角い箱が現れ、なかから時計がでてくる。

「うわあ、可愛(かわい)らしい」

正方形の箱なので時計とは思わなかったが、小さな円形で金の鎖がついている。

「これ、帯のなかに入れるんですね」

「たしか、このタイプのは持っていなかったろう」

「初めてどす、小そうて品がようて、おおきに、ありがとうございました」

菊乃はさっそく帯のわきに鎖をからませ、時計を手に取ってみる。

「うち、こういうの、一度、持ってみたい、思うていたんどす」

「気に入ってくれて、よかった」

菊乃がなお掌の上で眺めていると、挨拶にきた女将も一緒に見惚れる。

「さすが、社長さん、とってもセンスがよろしいですね」

「女のものを選ぶのは、難しい」

「でもよくお似合いですよ。やはりお好きな方のものを選ぶときには、念入りになさるのですね」

「そんなら、よろしおすのどすけど」

菊乃はまた皮肉をいいたくなるが、ともかくプレゼントをもらうと気分も華やいでくる。

「さあ、どんどん飲んでください」

女将に注がれて、菊乃は盃を干す。京都では、他の店に行っても知っている人ばかりで気を抜けないが、東京は気が楽である。それに街が大きいだけに解放感がある。

「これ、おいしおすなあ」

先付けに、芽キャベツのベーコン巻きがでてくるが、京料理には珍しい。

「うちは、田舎料理ですから」

女将が謙遜するが、一品一品、味がくっきりとある、という感じである。

「最近の京料理は味を忘れて、少しいじりすぎだからね」

京都の悪口をいわれると、菊乃はつい反撥したくなるが、今日はプレゼントをもらったせいか、あまり気にならない。

「こんな大きなお部屋に二人で、もったいのうおすね」

部屋は二十畳ほどあって、さらに控えの間もついている。

「今夜はお二人に開放しますから、どうぞお泊まり下さい」

「ここに泊まれるんですか」

「泊まれませんけど、酔って倒れられたら仕方がありません」

「ほな、倒れまひょう」

冗談がはずんで、菊乃は久し振りに気持が晴れてくる。

「どうぞ、ごゆっくりなさって下さい」

三十分ほどして女将が下がったところで、菊乃は思い出したようにいってみた。

「一寸(ちょっと)、相談ごとがあるのどすけど」

「どんなこと？」

遊佐は持ちかけた箸(はし)をおいて、真剣な顔になった。

「いまのマンション、買おうか思てるのどすけど、どう思わはりますか」

菊乃が値段をいうと、遊佐は腕組みしたまま首を傾けた。

「もう少し、待ったほうがいいんじゃないかな」

「やっぱり、高うおすか？」

「そんなに高くはないと思うけど、いま少しずつ値が落ちてきているときだからね」

遊佐は最近の土地やマンションの売れ行きの傾向と、二、三の実例を示してくれる。

「慌(あわ)てて、買うこともないだろう」

遊佐に数字とともに説明されると、菊乃は素直に納得してしまう。

「ほな、やめて……」

菊乃は新しい酒を遊佐に注ぐ。

「お店にお座敷をつくるのは、どうどすやろ」

「まだ、そんなことを考えているのか」

遊佐が呆(あき)れたようにつぶやく。

「せっかくはやっているのだから、いまのままでいいじゃないか」

「けど、お座敷があったらつかうのにと、いうてくれはるお客様もおいやすのどす」

「そんな客は、当てにしないほうがいい」

簡単に否定されて、菊乃はかえって逆らいたくなった。

「いまのままでは、本当の『たつむら』のお料理を出せしまへん」

「ちゃんと、出しているじゃないか」

「そうでなく、ゆっくりお座敷で召し上がっていただきたいのどす」

遊佐はきこえぬように酒を飲む。その平然としている顔を見るうちに、菊乃は怒りのようなものがわいてきた。

「あなたが反対しはっても、うちは出すつもりどす」

「馬鹿なことは、やめなさい」

「でも、うちはやりたいんどす」

「………」

「どうせ、東京人のあなたには、わからしまへん」

「なにをいうんだ」

「うちに、賛成してくれる人もいはります」

菊乃がいったとき、仲居が新しい料理を運んできた。

一瞬のきまずさを隠すように、遊佐は菊乃の盃に酒を注ぎ、それから自分のにも注いでゆっくりと飲む。その少し醒めた顔を見ながら、菊乃は甘えたくなっている自分の気持をもてあましていた。

このところ、菊乃はときどき自分のなかに、得体の知れない魔ものが棲んでいるような気持にとらわれることがある。

魔ものは、いつもは鳴りをひそめているが、ときに頭を擡げ自分とは無関係に動き出す。もっともそうはいっても、他人にはそんないいわけは成りたたない。「わたしには知らないことです」といったところで、菊乃本人が振る舞っているのだから逃れようはない。

だが本当はこうしたいと思っているのに、現実の行動は別のことをしている。

自分のなかに、二人の人格が棲んで分裂しているようである。

誕生日の菊乃が、まさしくそうだった。

今夜こそは正直に喜びを表し、楽しく時間を過ごそうと思いながら、実際には、次々と皮肉をいって嫌味な女を演じてしまう。

しかし、葭町の料理屋にいるあいだはまだよかった。まわりに仲居がいたり、ときどき女将が現れるので、あまり勝手なことをいうわけにもいかなかった。

自分でも、少し乱れていると思ったのは、食事のあと、銀座のクラブに行ってからである。

遊佐が連れていってくれたのは、菊乃もよくきく高級クラブで、美人のママで有名なところである。一度そのママに会ってみたいと思っていたので、菊乃のほうから連れていってくれるように頼んだのだが、さすがに噂に違わぬ美人である。それもただ美しいだけでなく、落ち着いて聡明そうである。

この店に遊佐が出入りしていることは知っていたが、意外に親しげで、互いの口から菊乃の知らない名前が次々と出てくる。たんなる消息や噂話をしているだけだが、その間、菊乃は話題からはずれてしまった。

もっとも、ママは菊乃に会ったとき、「さすが京都の方だけあって、お着物がお似合いですね」と愛想をいったし、京都の「たつむら」のことも、新しく東京に出した店のことも知っていた。

そのかぎりではママのほうに失礼なところはなく、感じも悪くはない。

だが遊佐と話しはじめてからは、菊乃を無視して平気でいる。しかも店が忙しいわりには、遊佐のところに腰を落ち着けている。遊佐のほうもママとゆっくり話ができてご機嫌のようである。

その苛立ちもあったせいか、ママが去ると同時に菊乃は絡みたくなった。

「ずいぶん、お楽しみどしたね」

突然いわれて返事をしかねている遊佐に、菊乃はさらに続けた。

「あっちこっちと、大変どすねえ」

「なにを、いっているのだ……」

「あの方、おいくつどすか」

「三十五、六だろう」

相手の年齢なぞきいては、自分が惨めになることはわかっているのに、ついきいてしまう。

「やっぱり、お若い方がよろしおすか」

遊佐は、こんなところにいては痛くもない腹を探られて大変、と思ったらしい。

早々に「出ようか……」といい、車を呼ぼうとする。そんな態度を見ると、菊乃はますます逆らいたくなる。

それもこれも、素直になりたいと思う菊乃の本心とは別の魔ものの仕業である。

もう一軒連れていってもらったのが、赤坂のバーであった。銀座で懲りたのか、今度はカウンターだけの店で、ママは五十前後で、他に若い女性が二人いるだけである。

これなら、絡まれる心配はないと思ったのかもしれないが、今度は若い女性が遊佐に話しかける。

それも、二人とも昼は会社に勤めながら、夜だけのアルバイトで、涼子と同じ年齢だといて、菊乃の頭がまた混乱してきた。

「お若い方にもてて、よろしおすね」

いわないでおこうと思っていたのに、つい口をついてでる。

「ただ、話していただけじゃないか」

「涼子と同じ年齢どすえ」

「だから、どうだというんだ」

思いがけなく、遊佐が厳しい表情をする。

「べつに、なんにもあらしまへん」

菊乃はことさらに平静を装ったが、遊佐は不快そうに水割りを飲む。

菊乃は少しいいすぎたと思いながら、涼子との関係はやはりほんとうだったのかもしれないと、暗い気持になる。

菊乃はいやな思いを振り切るように、ブランデーのストレートを一気に呷る。

「お代わりを下さい」

カウンターの女性にいうと、遊佐が困った奴だというように溜め息をつく。

それを見て、菊乃のなかの魔ものがさらに騒ぎだす。

「うち、あなたからお借りしたお金、きっとお返しいたします」

突然、話題が変わって、遊佐は面食らったようだが、菊乃はさらに続けた。

「早う、返そうと思いながら、いままできてしもうて、ほんまに申し訳ございません。けど、今年中にはきっと全部、お返ししますから、待っとくれやす」

「僕は、返して欲しいなんて、一言もいっていない」

「あなたはいわはらへんでも、うちが返させていただきます」

「今夜は一体、どうしたんだ」

「うち、早うお返しして、すっきりしたいのどす」

「しかしこれからマンションを買ったり、店を改装したり、いろいろお金がかかるんだろう」

「それ、みんなやめます。やめて、あなたにお返しします」

いいきった瞬間、菊乃の上体がふらついた。

「おい、おい、しっかりしなさい」

横から遊佐の腕が伸びてきて、菊乃の肩口をとらえる。瞬間、菊乃はある懐かしさにとらわれながら、言葉はまた別のことをいった。

「いやどす、さわらんといとくれやす」

それも菊乃のなかに棲んでいる魔ものがいわせたのかもしれない。

菊乃がたしかに覚えているのはそこまでである。


ときに、遊佐はある予感にとらわれることがある。

もしかして、こんなふうになるのではないかと思ったことが、現実になって驚くことがある。

例えば菊乃と初めて逢ったとき、この人と深い関係になるような予感がした。好きだとか愛し合うといった具体的なことではなく、なにか他人ごとでない身近さを感じたが、事実はまさにそのとおりになった。もちろん、この種の予感はいつでも当たるわけではない。それに当たったとしても、結果からこじつけた節がないわけでもない。

だが、すべてがこじつけともいいきれない。

菊乃の誕生日の夜、遊佐は葭町の料理屋へ向かいながら、なにか面倒なことがおきそうな予感がしていた。ただ誕生日を祝うだけではすまないような気がしていた。

思ったとおり、最初の食事は無難に切り抜けたが、銀座の店に行ってから菊乃は荒れはじめた。

二人の仲はこのところしっくりいかず、そのせいで少しエキセントリックになっているのだと思ったが、途中からはそれがエスカレートしてやたらに逆らう。

最後の店では、理由もなく難くせをつけママも呆れていた。

むろん遊佐とて、菊乃の気持がわからないわけではない。

皮肉をいい、逆らう気持の裏には、涼子とのことへの疑惑が尾を引いているのであろう。

しかもこのところ、二人で逢ってゆっくり食事をしたり、話しこむこともなかった。

逢ったとしても、型どおりの会話で早々に別れる。そんな欲求不満が、菊乃のなかで高じていたのかもしれない。

だがそれにしても、これほど乱れるとは思っていなかった。

最後のバーを出たとき、菊乃はほとんど立って歩けぬほどの酔いようであった。

かつてはいくら飲んでも乱れず、毅然(きぜん)としていた菊乃からは想像もできぬ、崩れ方である。

菊乃を車に乗せて三田のマンションに送りながら、遊佐は、東京の店がオープンした翌日のことを思い出した。

あのときも同じように酔っていたが、いまほど荒れてはいなかった。その夜、遊佐は菊乃の肌(はだ)に触れたが、結ばれずに帰った。

また、あのときと同じようになるのか。そんな不安を抱きながら夜空を見ていると、車が三田のマンションに着いた。

「しっかりしなさい」

菊乃はよろめきながら車から降りたが、手を添えていなければ足元が覚束ない。ようやく部屋までたどりついてドアを開けたが、瞬間、菊乃はつまずいて倒れかかった。

それを救いあげてリビングルームまで行くと、菊乃は精根つきたようにソファの端に崩れ落ちた。

「すんまへん……」

なおつぶやくところをみると、酔って迷惑をかけていることだけはわかっているようである。

水を飲みたいというので、遊佐はグラスに水を注いで菊乃に渡し、さらに苦しそうに喘ぐ背をさすってやった。

「無茶飲みを、するからだよ」

今度は、菊乃は素直にうなずく。

「こんなところじゃ駄目だ、ベッドで休みなさい」

ソファに突っ伏した菊乃の襟足が、蛍光灯の下で妙に白い。

「さあ、向こうへ行こう」

遊佐が肩口を叩くと、菊乃がゆっくりと起き上がった。

一瞬、明かりの眩しさに驚いたように顔をそむけ、それから襟元を合わせる。

「すんまへん、ご迷惑かけて……」

「いや、それより、早く休んだほうがいい」

「へえ、おおきに……」

菊乃はそこで、目を閉じたまま一つ息を吸った。

「どうぞ、お先に帰っとくれやす」

「でも……」

「大丈夫どすので、どうぞ放っといてくれやす」

菊乃は顔をそむけたまま立ち上がると、ベランダのほうへ行く。相変わらず足元は頼りないがガラス戸を開けてベランダへ出る。

心配になって遊佐が追っていくと、菊乃はベランダの鉢植えの横にある丸椅子の上にうずくまった。

「こんなところで、どうするの?」

「ここが、気持ええのどす」

たしかに、酔った躰には冷えた夜気が爽やかで、暗い窪地をとおして彼方に赤いネオンが見える。

遊佐はふとベランダの下が墓地で、左手に桜の樹があるのを思い出した。

「やはりベッドで休んだほうがいいよ、このままじゃ風邪をひく」

「ほんまに、大丈夫どす……」

菊乃はつぶやくが、上体がかすかに揺れている。

「さあ早く、部屋に戻ろう」

もう一度、肩に手をかけると、菊乃が頭を左右に振った。

「お願いどす、帰っとくれやす」

強い口調に、遊佐が手を離すと、菊乃は額に手を当てたままつぶやいた。

「しばらく、このまま一人にしといとくれやす」

それほどいわれては、遊佐としても帰らざるをえない。

「早く休むんだよ」

「…………」

「じゃあ、帰るよ」

「おおきに……」

菊乃がかすかにうなずく。遊佐は暗いベランダのなかで、うずくまっている菊乃をいま一度振り返ってから、ゆっくりと戸口へ向かった。

街灯の下を木枯らしが過ぎていく。昼間は晴れていたが、夜が更けてさらに冷えこみが増したようである。

菊乃のマンションから出て、遊佐は左右を見渡したが、空車は来そうもない。

遊佐はいったん、マンションを振り返ってから、伊皿子(いさらご)の交叉点(こうさてん)のほうへ歩きはじめた。

落ち葉が歩道のわきを駆け抜け、それを追うように風が吹き抜ける。

遊佐は身を屈(かが)め、片手をポケットにつっこんで、いま別れてきた菊乃のことを思った。

あのまま、ベランダでうずくまって、酔いをさましているのだろうか……。

何度か部屋に入って休むようにいったが、菊乃はきかなかった。それどころか最後には、お願いだから帰ってくれ、という。

それで仕方なく出てきたが、はたしてベッドで休んだろうか。たとえ酔っているとはいえ、あのままベランダにいては風邪をひいてしまう。

まさか子供ではないから、いつまでもベランダにいるわけはないだろうが、それにしてもよく飲んだものである。

菊乃の飲み方を見ていると、なにか初めから酔うのを意図していたような感じである。途中で何度もとめたがききいれず、強いブランデーをぐいぐいと飲む。

ことさらに逆らう菊乃の気持の奥には、やはり涼子とのことが、わだかまりとなって残っていたのかもしれない。

だが正直いって、遊佐は今夜、菊乃さえ許せば、以前の関係に戻ってもいいと思っていた。

菊乃と体の関係を絶ってから、もう半年以上になる。かつてはあれだけ濃密に触れていたのが、桜の季節を境にきっぱりと途絶えている。

いままでの二人の経緯から見ると、あきらかに不自然である。

しかしいま菊乃に触れたら、これだけ深くなった涼子への裏切りになる。もしそんなことが知れたら、涼子は苦しむに違いない。

それを充分知りながら、遊佐の頭のなかには、再び菊乃と結ばれても、必ずしも涼子への裏切りにはならないという気持もある。

裏切りなどと大袈裟なことでなく、かつて親しかった相手として、いままでどおり遇するだけのことではないのか……。

きまった一人の男しか愛せない女性には、こんな考えは許せないかもしれない。それをきいたら、いい加減な男の身勝手として総反撃をくらうかもしれない。

だが男にはもともと、そうしたあやふやなところがある。一人の男のなかには、ある女性への愛と他の女性への愛を同時に棲まわせ得る空間がある。一人の男を好きになると、その人しか棲まわせられない女性とは、そのあたりが違うのかもしれない。

はっきりいって、いま、遊佐は誰よりも涼子を愛している。涼子を最も大切だと思っていることに偽りはない。

だが同時に、かつての恋人の菊乃も愛しく思っている。

涼子という存在が現れたから、菊乃と疎遠になったが、もともと菊乃と争ったわけでも、憎み合ったわけでもない。もし菊乃が困ったり悩みごとがあったら、いつでも相談相手になるつもりでいる。

もっとも、いまの菊乃の最大の悩みごとが、涼子のことだとすると、それだけは相談にのれない。

しかしそれ以外のこと、たとえば店を改装するための金策や、マンションのことならいつでも応じる気持はある。

この菊乃への思いやりを、男の優しさと見るかいい加減さと見るかによって、男への見方は変わってくる。

今夜、菊乃がその気なら、以前の関係に戻ってもいいと思ったのは、遊佐としては優しさのつもりであった。そうすることによって、菊乃のもやもやが晴れるならそれでもいい。

もちろん、関係を戻せば、菊乃の悩みはさらに深まるかもしれない。

そこまでは、遊佐としても責任はもちかねるから、やはり男の身勝手ではないか、といわれたら一言もない。

だがいま、遊佐が菊乃を憎んでいないことだけはたしかである。それどころか心のなかではいつも申し訳ないと思っている。その償いとして菊乃が求めるなら、結ばれてもいい。前回は失敗したが、今回はもっと自然にすすめそうである。

男も、さほど強い欲求がないのに、女と結ばれるときがある。相手の気持を察して、求める側に立つこともある。それも優しさといえば優しさだし、いい加減といえばいい加減ともいえる。

いいわけじみるが、男は肉体のすべてのつながりが心に深く沁みこむわけではない。そのときはそのときで完結し、また次の新しい関係に戻っていける。男の性には、そうした融通無碍なところが潜んでいる。

今夜、菊乃の態度によっては、結ばれてもいいと思ったのはそんな理由からである。だが案ずるまでもなく、菊乃はそんな素振りは見せなかった。酔いはしたが、当然のように男の優しさを拒否し、早々に帰るよう要求した。

もちろん遊佐もそれ以上求める気はなかったし、心の底では、これで涼子を裏切らなくて済むと思って、むしろ安堵していた。

だがそれにしても菊乃は本当に、部屋に入って休んだろうか。

足元を転げていく落ち葉を見ながら、遊佐は再びベランダでうずくまっていた菊乃のうしろ姿を思い出した。

風が吹き抜けていく夜空の下には、墓地の窪みが広がっていた。

瞬間、遊佐はある不気味な予感にとらわれて立ち止まった。

まさか、あのまま倒れたりしないだろう。

風のなかで、遊佐はもう一度マンションのほうを振り返ったが、夜の道には人影がなく、街灯だけが規則正しく並んでいる。

「大丈夫だ……」

遊佐は自分にいいきかせると、前方から近づいてきたタクシーに手を挙げた。

三田から、遊佐の住んでいる高円寺までは、深夜でも小一時間はかかる。

夜遅く家に戻るとき、遊佐はいつも裏口から入る。

玄関から入ってもかまわないのだが、扉が重いし、深夜に騒々しすぎるような気がして裏へ廻る。

合鍵で開けてなかへ入ると、上がり口に女ものの靴が三足とサンダルと、今日着いたらしい宅配便の小包が二個、積み重ねられている。

そのわきに靴を脱ぎ、書斎のある二階へ上がろうとしてリビングルームをのぞくと、明かりがついている。深夜に消し忘れたのかと、あたりを見廻していると、奥の部屋から娘の由紀が現れた。

「おかえりなさい……」

娘が二時近い深夜まで起きているのは珍しいが、それ以上に、きちんと服を着ているところが不思議である。

「ママ、入院したわよ」

「なに？」

今朝、遊佐がでるとき、妻は自分の部屋のベッドに横になったままテレビを見ていた。その後、会社に六時までいたが、家からはなんの連絡もなかった。

「喘息(ぜんそく)の発作がおきて大変だったのよ。先生にすぐきていただいたけど、すごく咳(せき)こんで、死ぬかと思ったわ」

もともと妻は高度の心臓神経症で、この数年は寝たり起きたりの生活をしていたが、近年はそれに喘息がくわわっていた。一年前には発作が強くて入院したこともあったが、この半年くらいはいくらか落ち着いていた。

「何時ごろだ?」

「十二時ごろだったかな、わたしも病院に行って、いま戻ってきたところよ」

十二時といえば、酔った菊乃と最後のバーで飲んでいたころである。

「でも、島村さんはそのまま病室に付き添ってるわ」

島村というのは、もう十年も前からいるお手伝いである。

「知らなかった……」

「だって連絡したくても、どこにいるのか、わからないんですもん」

妻の発作も知らず、深夜遅く帰ってきた父に、娘は文句をいいたいようである。

「それで、容態はどうなんだ」

「強いお薬を注射してもらって、いまは落ち着いているようだけど、先生のお話では、しばらく入院しないとだめみたいよ」

娘は妻の入院している病院の名刺を出した。中野にある公立病院で、前に一度入院したことがある。

「これから、行ってみようか」

「お酒を飲んでいるのに、おかしいわ」

遊佐がソファに坐りこむと、娘がポットから湯をとってお茶を淹れてくれる。深夜に帰ってくる困った人だが、父だから仕方がない、といった顔つきである。

「じゃあ、お母さんは、いまは眠っているのかな」

「わたしが帰ってくるときは、うつらうつらしていたけど、もう眠っていると思うわ」

「島村さんを、呼んでみようか」

遊佐は名刺にある電話番号を押し、ナース・ステーションから病室にいる島村さんを呼んでもらった。

「いま、帰ってきたんでね……」

遊佐の帰りが遅いことには、彼女はすでに慣れている。

「先生は、どういっているの?」

「発作はこちらにきて、じきおさまったのですけど、心臓が大分弱っているようなので、しばらく入院したほうがいいだろうと、仰言ってます」

島村しげは五十半ばで、離婚の経験もあり、人生のすいも甘いも見てきたようなところがある。その大人のところに安心して、遊佐は妻をまかせきっていた。

「しかし、どうしてそんな発作がおきたのかな」

選りに選って菊乃に逢っているときに、と思うが、いまさらそんなことをいってもはじまらない。

「やはり、自律神経のほうと、関係があるんじゃないでしょうか」

以前、遊佐は医師から、妻の病状が多分に精神的なものが原因だといわれたことがある。その原因の一つに、遊佐の浮気が入っていることもたしかである。

だが遊佐はそれをきいても改めることはなかった。

たしかに浮気は悪いが、それ以前から、妻は病気がちで健康なときはほとんどなかった。家に戻ると妻が病んでいるという味気なさが、遊佐の気持を外へ向けさせたといえなくもない。

くわえて、なにごともいい加減にしておけない、几帳面すぎる妻の性格が裏目にでて、病状を深刻に考えて自ら悪化させたともいえる。

「じゃあ、入院は年内一杯くらいかな」

「いえ、もしかすると、もっと長くかかるかもしれません」

遊佐は妻のいない家庭を想像したが、もともと妻は家にいても、ほとんど自室に閉じこもっているのだから、あまり変わらないともいえる。

「それで、君はいつまで……」

「朝になったら、いったん戻ろうかと思っています」

遊佐にとっては、妻よりはお手伝いがいないほうが現実の生活にひびく。

「明日でも、病院に行ってみよう」

「お見えになったら、喜ばれると思います」

妻に対してはすでに愛はないが、一人で病室にいる姿を思うと不憫である。

「じゃあ大変だろうけど、よろしく頼むよ」

礼をいって受話器をおき、時計を見ると二時半である。

「休もうか？」

遊佐が声をかけると、娘がキッチンで茶碗を洗っている。小さいときから母が病弱だったので、家事だけはよくする。

「先に寝るぞ……」

遊佐はいま一度、由紀のうしろ姿に声をかけてから階段を昇り、二階の書斎へ入った。

いつものことだが、遊佐は自分の部屋へ入って、ようやくくつろいだ気分になる。同じ家のなかでも、リビングルームや他の部屋では妻やお手伝いがいて、自分の城といった感じがしない。

書斎には机があり、ベッドもおいてある。そのベッドに横たわり、階下から持ってきた夕刊を読んでいると電話が鳴った。

二時を過ぎて、誰からなのか。不思議に思って受話器をとると、若い女性の声が返ってきた。

「あ、いやはったんですか」

涼子の声と知って、遊佐は受話器を耳におしつけた。

「前に電話をくれた？」

「はい、二度ほど……いやはらしませんでした」

「もう少し、早く帰ってきたんだけど、一寸、階下にいたものだから」

妻が喘息の発作で入院したとはいいかねて、黙っていると涼子がきいた。

「今夜、母と逢わはったんですか」

「そう、食事をして、少し、飲んだけど……」

「気に入ったようで、喜んでくれた」

「プレゼント、なんていうてはりました」

菊乃の誕生祝いを、帯のあいだにはさむ時計にするように教えてくれたのは、涼子であった。

「それで、いままで、飲んではったんですか」

涼子はやはり、菊乃と逢ったことが気になって電話をよこしたようである。

「うち、お電話、待っていたんです」

「いま、これからしようと思ったところだ……」

涼子は答えないが、沈黙のなかに不満が潜んでいるようである。

「ちょっと、階下で用事があったものだから」

「こんな、深夜にですか」

「お手伝いさんと、話していたのでね……」

いいわけをしながら、遊佐はこのごろ嫉妬（しっと）することを覚えた、涼子の女を身近に感じていた。

風花と

光のなかに雪が舞っている。明るい空に、雪がまぎれこんできたようである。

不思議に思って見上げると、青空の片隅（かたすみ）に淡い雲がかかっている。

だが雲の姿はおだやかで、それが雪をもたらせたとも思えない。

雪はどこからきたのか、風も雲も素知らぬ顔で、雪だけが陽（ひ）の下でたわむれている。

「風花」という言葉を、涼子は思い出した。晴れた日に降る雪をそう呼ぶのだと、高校生のころに教わった。

「今日は、さむいなあ」

母の菊乃がつぶやいたので、涼子は待っていたようにいった。

「かざばなえ」

途端に、菊乃が空を見上げていいなおした。

「かざはな、やろう」

母のいい方は、「は」を濁らないようである。

「かざばな、とはいわへん？」

「かざはなのほうが、きれいやろ」

そういわれると、たしかにそんな気がしてくる。

思いがけないことで、涼子は母にかなわないと思うことがある。いまの風花の呼び方もその一つである。涼子が頭で覚えたことを、母は体で知っているようである。

「今朝は晴れていたのになあ」

今朝、起きてカーテンをあけたときには見事な快晴であった。テレビでも「おだやかな年のはじめです」と告げていた。

「けど、いまも晴れてるえ」

雪が降っても晴れているから、風花というのである。発音をなおされたお返しではないが、涼子はいい返した。

「そやから、かざはなやろう」

二人で似たようなことをいいながら、どこか意見が嚙み合わない。

涼子はあきらめて、ショールの前を合わせると、南へ向いた参道のほうへ歩きはじめた。

毎年、正月に親娘で八坂神社にお参りにくるのが恒例になっている。

今年も混み合う元旦を避けて、二日目にお参りにきたが、境内から四条の石段下の一帯はぎっしりと人でうずまっている。東大路も多くの警官がでて、交通整理にあたっている。

「こっちから、行こう」

四条へ出ては人混みにおされて、せっかくの着物が台無しになる。

菊乃は淡いグレーの地に裾に梅の花が散った留め袖を着、涼子は鹿の子の絞りの小振り袖を着ている。去年もやはり着物を着てお参りにきたが、途中で会った店の客に、「姉妹のようや」といわれて、母は気をよくした。

今年もそれを期待しているのかもしれないが、はたして他人にはどううつるか。

この一年間、母も娘もともにおおきな波に見舞われた。

とくに涼子のほうは、娘から女になり、男のたしかさを知り、それと同時に人を愛することの怖さも知った。一人前の女になった成長が、顔や姿にあらわれるのは避けがたい。

それと較べると、母は表面は一歳、年齢をとったにすぎない。

単純にいえば、涼子の変貌のほうが、母の菊乃のそれよりはるかに大きい。

してみると、親娘はますます姉妹に近づいたことになるが、母には一年間の疲れがある。

病気のせいもあって少し痩せたが、それ以上に躰の張りを失ってどこか頼りない。

東京に新しい店を開いた気苦労にくわえ、遊佐とうまくいっていないことが響いているのかもしれない。涼子はそこまで考えて、慌てて首を横に振った。

遊佐とのことを思うと、自分のほうまでおかしくなる。いまさら母に同情したところで、その原因を問い詰めると自分におよぶことになる。

「今日だけは、考えるのをよそう」

そう自分にいいきかせて鳥居を抜けると、菊乃が振り向いた。

「涼ちゃん、どこかで甘酒でも飲んでいこう」

まだ午後三時だが、陽が陰って風が冷たい。

「甘酒なら、この先に静かなところがあるえ」

今度は、涼子が先になって歩く。初詣(はつもう)でだけあって女性の着物姿が多いが、やはり二人は目立つのかもしれない。なかには、「きれい……」とつぶやく人もいる。

そんなとき、涼子はいままでのことを忘れて、母を誇らしく思う。友達の母とくらべても、自分の母が一番美しいと、子供のときから思っていた。

娘がそんなことを思っているとも知らず、菊乃がきく。

「どこまで行くの?」

「石塀小路(いしべこうじ)やから、もうすぐえ」

表の通りを抜け、二つほど曲がった小路に入ると、あたりは急に静かになる。

まわりは古い石塀がめぐらされ、路地は狭いが、落ち着いた風情(ふぜい)がある。その小路のわきの小さな店に入ると、いままでの賑(にぎ)わいが別世界のように消える。

「甘酒をふたあつ……」

　涼子が頼むと、前掛けをした若い女性がそれと同じことを奥へ伝える。

「人が仰山(ぎょうさん)やと、疲れるなあ」

　菊乃は席につくと、寒風にさらされた顔のあたりを軽くハンカチでおさえた。

「おみくじも引けへんなんて、初めてや」

　人混みのなかをかき分けていく気も失(う)せて、涼子はあきらめた。

「どうせ、中吉か小吉やろ」

「凶を引くより、ええわ」

「お参りの人、毎年増えるなあ」

　正月の京の神社にお参りにくるのは京都の人ばかりではない。それより関西一帯から、東京の人達などが増えてきているようである。

「あんた、これからどうするのん？」

　母にきかれて、涼子は一瞬、息をのんだ。大晦日(おおみそか)から元旦までは母と一緒にいたが、二日目からは涼子は自由に動くつもりでいた。

「北山には、いかへんのか」

　図星をさされて、涼子は目を伏せた。北山には、母と別居している父がいる。もう別れて暮らすようになってから、十年の歳月が経(た)っている。

その間、母は父と会っていないようだが、涼子はときたま会っている。

ほとんどの場合、父からの電話で呼び出されて食事をするだけだが、母には告げていない。もっとも、母は涼子が密（ひそ）かに会っていることを知っているようである。

初めのころ、母は、涼子が父と会うことに反対だったが、大学に入ったころから、あまりうるさくいわなくなった。同じ京都に住んでいて、会うなといっても仕方がない。そこから先は本人の自覚の問題だと思っているのかもしれない。

別れてから、父は以前からの家業を継いで、山から杉を卸しているが、戸籍の上ではいまも父と母は夫婦である。なぜきっかりと別れないのか、場合によっては、再び一緒になることを考えているのかもしれないが、母にはとうにその気はないようである。

このあたりは、男より女のほうが毅然（ぎぜん）としている。母からみると、そんな父が優柔不断で頼りなかったのかもしれないが、涼子にはただ一人の父である。この数年、正月には必ず北山の父のところに行くことになっている。

「待っていはるんやから、行ってきたらよろし」

涼子がかくすまでもなく、母は見抜いている。

「お母さんは？」

「うちは部屋に帰って、テレビでも見てるわ」

あっさりいうが、母の顔は少し淋（さび）しげである。

「これ、あまり甘うないな」

涼子は話題を変えるように、甘酒をすすった。

「甘うないほうが、肥えなくてええわ」

冷えた躰に、甘酒の熱さが身に沁みる。そのまま、ふうふうと口で吹いていると、菊乃がいった。

「あんた、今年から、東京のお店やらへんかあ」

「東京の店って？」

突然いわれて、涼子は甘酒の入った茶碗をテーブルにおいた。

「もう半年以上経って、大体、軌道にのってきたから、あんたでもやっていけると思うてな」

涼子には寝耳に水である。それ以上に、いまそんなことをいいだした母の真意がわからない。

「東京は、いやか？」

「そんなこと……」

涼子の脳裏に遊佐の顔が浮かぶ。東京の店をやることになったら、誰にも遠慮せずに遊佐と毎日のように逢える。東京に行くことは、この一年間、涼子が願いつづけてきたことである。

「ほな、ええやろ」

「けど、お母さんは？」

「東京のお店はあんたにまかせて、うちは京都に戻るわ」

「………」

「やっぱり、京都のほうがお座敷もあるし、性にも合うてる」

「東京のお店の改装は？」

「あれは、やめた」

菊乃はあっさりいうと、かすかに笑った。

「あんなの、やっぱり無駄や」

いっときは、あれほど改装に熱心だったのに、急に変わった気持もわかりかねる。

「ほな、やってくれるね」

念をおされると、涼子はかえって心配になる。

「うち、まだ若いし、東京のことよう知らんし……」

「かまへん、東京は店長もしっかりしてるし、お客さまも一見さんが多いから、そんなに気にすることあらへん。あんたがきちんとお店にいてくれさえしたら、それでよろし」

母のいうとおり、馴染み客の多い京都の店より、東京のほうが気はつかわなくてすみそうである。

「できたら、このお正月からどうえ」

「お母さん……」

涼子は思わず声を高くした。

「なんで、そんな早う」

「お母さん、少し疲れてしもうた」

前掛けをした女が、甘酒のあとに、熱いおぶうを持ってくる。菊乃はそれを両手で支えてゆっくりと飲む。

「東京のお店は、いずれあんたに譲ろう思うてたから、それならいっそ早いほうがええと思うたんや」

たしかに、表面の理由はそうかもしれないが、涼子にはいま一つ納得しきれないところがある。

「もちろん、あんたにまかせるいうても、東京へぜんぜん行かへんわけやない。月に一度くらいは行って様子は見ます。そやけど、これからはあんたの店や思うて、しっかりやってもらわな困ります」

「………」

「ええな」

もう一度、念をおされて涼子がしぶしぶうなずくと、菊乃が着物の胸元をおし上げた。

「ああ、これでよかった、ほっとしたわ」

まだ、涼子は納得しかねて呆(ぼ)んやりしていると、菊乃が背をまるめて簾(すだれ)の先の窓をのぞいた。

「風花はやんだんか?」

いわれて涼子も窓をうかがったが、狭い小路に、雪の花は見当たらない。

「ほな、出ようか」

菊乃はもう話は終わったというように立ち上がる。

「おおきに、ありがとうございました」

前掛けの女が明るい声で送ってくれる。普通の家と変わらぬ格子戸(こうしど)を開けて外に出ると、風花はやはり見えない。

「もう、やんでしもうたんやねえ」

お参りを終えたときに降り出して、店に入ったときにやんだとしたら、ほんのいっときの風花だったようである。

「けど今夜あたり、雪になるかもしれへんなあ」

相変わらず空は晴れているが、冷えこみがきつい。石塀に囲まれた小路を抜け、表通りに出たところで菊乃は立ち止まった。

「ほな、うちはまっすぐ帰るけど、あんたは行っておし」

「…………」

「気ぃつけておいきや」

「うち、なるだけ早う帰ります」

「ゆっくりで、かまへん」

菊乃はまた笑顔を見せると、くるりと背を向け、そのまま八坂のほうへ戻っていく。その少し痩せたうしろ姿を見送ってから、涼子は東大路のほうへ歩きはじめた。

北山へ行くには、ここから下の交叉点へ行って、車を拾ったほうがいい。父には三時ごろに行くといったから、すでに準備をして待っているに違いない。

一人になって、涼子はいましがたきいた母の言葉を思い返した。

まさか正月早々から東京行きをいわれるとは思わなかったが、母はいつごろから、それを考えていたのか。いずれ任せるつもりであったとしても、はっきりそうと決めたのは、二、三カ月前か、それともつい最近か。

もしかして、今日、お参りしたときに、思いついたのかもしれない。そうでなければ、こんな重大なことを甘酒を飲みながら告げたりはしない。

「けど……」

涼子は古代柄のリボンのついた頭を傾けて考えてみる。母が東京を離れるということは、遊佐と疎遠になり、それだけ自分が彼と近づくことになる。それを承知で、東京へ行けというのはなぜなのか。

底冷えのする石畳の道を歩きながら、涼子はやはり母の真意がわからない。

京の街は、東西の線に較べて、南北の道がいささか手薄なようである。東西なら、三条、四条と、幅広い道路が何本も走っているうえに、丸太町や今出川通りなどがあるが、南北は河原町、烏丸（からすま）通り、堀川など、数えるほどしかなく、他のほとんどは狭くて曲がっている。

おかげで、南北の主要な道は、いつも混み合っている。

その一本である東大路は、道沿いに八坂神社があるせいもあって、正月はとくに混雑が激しい。

涼子はその通りの西側に立ってタクシーを探したが、空車は容易にきそうもない。

仕方なく、少し上のほうへ歩きかけたとき、先に電話ボックスがあるのに気がついた。

ちょうど、若い男性が出てきたところである。

涼子は一瞬ためらってから、そのボックスに入った。ドアを閉めて一人になると、なにか人目を避けて自由になったような気がする。

遊佐とは暮れの三十日に電話で話したきりで、年が明けてからまだ声をきいていない。

昨日から今日にかけて、涼子は何度か電話をしようと思いながら、正月休みに家までかけるのもどうかと思って控えてきた。それにいつも母が側にいるので、かけるチャンスもなかった。

遊佐は正月三カ日だけ休んで、四日から会社に出るといっていたから、あと一日待てば会社に電話をすることができる。そう思ってあきらめていたが、母から東京へ行くようにいわれて、急に声をききたくなった。

とにかく東京の店をやることは、涼子にとっては大事件である。

涼子は受話器を持つと、ハンドバッグからとり出したテレホンカードをさし込んだ。

正月の二日の午後では、どこかに出かけているか、それとも来客でもあって自分の部屋にいないかもしれない。

多分駄目だろうと思って直接書斎に電話をすると、いきなり遊佐の声が返ってきた。

「あれっ……」

涼子は思わず声をあげてきき返した。

「いやはったんですか」

「君か……いまどこから？」

「京都です。いやはらへんかと思うて、かけてみたんです」

「ありがとう、いま階下にお客さんがいて、煙草がないのでとりにきたら、丁度ベルが鳴った」

「ほな、あとでええのです。べつに急ぎませんから」

「いや、かまわない、僕も君の声をききたいと思っていた」

遊佐にそういわれると、緊張していた涼子の気持は和んでくる。

「部屋に戻ってきてよかった。ところで新年お目出度う」

「明けまして、お目出度うございます。本年もよろしうお願いします」

「いい天気だが、京都も晴れているんだろうね」

「晴れてますけど、つい少し前まで雪が散らついて……」

「風花だな」

思っていたことをいわれて、涼子は嬉しくなった。

「いま、母と一緒に、祇園さんへお参りにいってきたんです。大変な人出で、お参りするだけで疲れてしまいました」

「じゃあ、いま、お母さんと一緒に？」

「母は、先に帰らはりました」

遊佐は菊乃のことでも考えているのか、短い間をおいてからきいた。

「それで、君はこれからどこへ行くの？」

「ちょっと……」

つい、もったいぶった返事をすると、遊佐が受話器のなかでささやいた。

「逢いたいね」

瞬間、熱い溜め息を吐きかけられたように、涼子の耳が火照った。

「これから、行きたいな」

「ほんまですか」

「今日は無理だけど、明日なら行けるかもしれない」

「そんな、ご無理をしやはらへんでも、よろしいです」

正月三カ日はホテルは満杯だし、帰りの新幹線も混雑する。

「それより、うち、そちらへ行けるかもしれません」

「東京へ、いつ？」

「今日、母にいわれたんです」

涼子はあたりを見廻し、待っている人がいないのをたしかめてからいった。

「いま、お話ししても、よろしいですか？」

「かまわない、客といっても会社の連中だから、話してごらん」

「祇園さんにお参りしたあと、母に、東京のお店をやらないかと、いわれたんです」

「本当か、でもお母さんはどうするの？」

「京都のほうに戻って、うちと交替したらええっていわはるんです」

若い女性が二人、ボックスに近づいてきたが、涼子が話しているのを見て去っていく。

「それ、今日、はじめていわれたの？」

「そうです、お参りを終わって、甘酒を飲んでいるときに突然……それで至急、お伝えしようと思うて、お電話したんです」

涼子はテレホンカードの残り度数を表す数字を見ながら続けた。

「そのこと、母からききかはらしませんでしたか」

「いや、べつに……」

「うちも急だったので理由をきいたんです。すると少し疲れたからって、それと、京都のお座敷のある店のほうが、性に合うてるいわはるのです。お店の改装のほうはあきらめたようです」

「………」

「どう思わはりますか？」

「そりゃもちろん、君が東京にきてくれるのは嬉しいけど……」

突然のことで、遊佐としても母の気持を判断しかねているようである。

「嬉しいけどって、なんです？」

「これからは、いつでも東京で逢えるわけだろう」

「かわりに、母には逢えしません」

「もちろん、そうだ」

「母が東京にいなくなると、淋しいのと違いますか？」

少し生意気かと思いながら、涼子はきいてみる。

「これから、うちがずっと東京にいるようになったら、どうしやはります」

「どうって……」

「ご迷惑でしたら、いうて下さい」

「おいおい、なにをいうんだ。迷惑なわけがないだろう」

その言葉をきいて、意地悪をいうのはやめにする。

「もし東京に行くようになったら、一生懸命やりますから、応援して下さい」

甘酒にくわえて電話のせいか、涼子は自分がかなり大胆になっているのを感じていた。

繁華街を抜けると道は空いていて、北山に着いたのは四時を少しすぎていた。

京の街では風花が舞っていたが、周山街道に入ってからは雪が垣間見え、北山では杉の樹立ちが雪をかぶっていた。

すでに夕暮れが近づいているが、雪におおわれた山肌が白く浮きでている。

幼いころ、涼子は暮れていく雪山に怖れを抱いたことがあった。もちろん、いまはそんなことはないが、夕暮れの雪山はいつ見ても秘めやかで侘しげである。

だがそれは外の風景だけで、一歩家のなかへ入ると部屋は暖かく、テーブルにはお節料理があふれている。

「遅い遅いいうて、三時ごろから、何度も外に出て待ってはったんですよ」

父と一緒にいる叔母が説明すると、父は苦笑して朱塗りの大盃に酒を注いでくれる。

「うわあ、こんなに飲んでしもうたら、酔うてしまいます」

「かまへん、料理屋の若女将がこれくらい飲めんでどうする。酔うたら泊まっていったらええ」

涼子は盃を受けるが、むろん泊まってなぞいけるわけはない。

「涼ちゃん、また綺麗にならはったなあ」

父と娘で酒を注ぎ合っている姿を見て、叔母が感心したようにつぶやく。

「ほんまに、一年毎に別嬪さんにならはって……」

「そんなことといわはったら本気にします」

二人の会話を、父は満足そうにきいている。父は母とはうまくいかなかったが、もともと悪い人ではない。それどころか、人がよすぎて、母から愛想づかしされたようなところがある。

本来、北山杉のように山奥にすくすくと育った人だけに、山に住んでいるのが一番似合っている。それを人の出入りの激しい料理屋に入ったのが、間違いのもとであった。

「この前、下鴨のおばさんに会うたら、お父さんとそっくりやっていわれました」

言葉少ない父にリップサービスの意味も含めていうと、父は即座に相好を崩す。

「そうか、俺（おれ）に似ているかな?」

「うちも、ようわからしませんけど、昔の写真を見たらそう思います」

母と別れたころは、父に反感を抱いたこともあったが、いまは母より、父のほうが余程話しやすい。

「俺に似たら、ろくなことはないぞ」

「そんなこと、あらしません」

母はたしかに美しいが、少し険がある。だが父はよく見ると美男子で物腰もやわらかい。

「そういえば、少し色っぽくなったかな」

実の父に見詰められて涼子が目を伏せると、叔母が追い討ちをかける。

「涼ちゃん、このごろ、好きな人ができたんと違う?」

「そんなん、誰もいいしません」

「叔母さんの目はたしかなんだから、白状しおし」

涼子は首を左右に振るが、頰（ほお）が火照っているのが自分でもわかる。

「大学のお友達か、それともお店にきはる人かな。でもお客さまなら年齢が離れすぎてるなあ」

きわどいことをいわれて、涼子はますます硬くなるが、たしかに遊佐と涼子の父は三歳しか違わない。父のほうが年上だが、涼子には、父がはるかに年齢をとって老人のように見える。

「涼子、お前はいまいくつだ？」

「二十四です」

「ほな、そろそろ結婚してもええなあ。その相手とは、する気はないのか？」

「だから、いいしませんて、いうてるでしょう」

涼子はもうその話題はいいとばかり、叔母の息子の武司君に声をかけ、おさまったところで、また父に酒を注ぐ。父もこれ以上、問い詰めても無駄と知ったのか、素直に酒を受けているが、ふと思い出したようにきく。

「それで、お母さんは元気にしてはるか？」

「はい、変わりありませんけど、今度、東京の店は手を引いて、京都のほうばっかりになるかもしれません」

「ほな、東京の店はどうするのや？」

「今日、いわれたんですけど、うちがやるようになるかも……」

「お前、東京へ行ってしまうんか」

父は考えこむように腕を組む。本来なら父親なのだから、娘や母のことにいろいろ口出しするのは当然なのに、それができないのが淋しいのかもしれない。

「で、体のほうはええのんか」

「このごろ、耳鳴りのほうはおさまっているようやけど、少し痩せて、前ほどの元気はありません」

「少し、気張りすぎたのかもしれしまへんなあ」

叔母は父の妹だけに、菊乃には批判的なはずだが、そんなことを口に出したことはない。

「お母さん、今日も家にいはるのか」

「まっすぐ帰るっていうてはったから、テレビでも見てるかもしれません」

そのまま、静かに酒を飲んでいる父を見るうちに、涼子はふと、再び父と母が一緒になりはしないかと思う。むろんそれは涼子の願望でもあるが、なにかのきっかけで、また二人の気持が相寄ることがないとはいいきれない。

「お母さんの面倒、よう見いや」

涼子はうなずきながら、父が少しじれったくなる。別れて十年も経つのに、父はなお母のことを案じているが、それはただの優しさなのか、それとも男のおおらかさなのか。涼子にはよくわからないが、表面ではいつも父が譲歩しているように見える。

だが考えようによっては、そうすることで母が戻ってくる余地を残しているといえなくもない。

「一度、お母さんに会うてみやはる?」

先程から、涼子はその一言をいいたくてうずうずしていた。もしそういったら、父はなんというか。そしてそれをきいた母は、なんと答えるだろうか。ともに一笑に付すか、それとも意外にあっさりうなずくか。

東京の店をやめて京都に戻ってくるいまが、チャンスのような気もする。

「お父さん、お正月に町のほうへ出てきはらへんの?」

「そうやなあ、十日ころには一度、出るけど……」

つぶやく父の皺の深くなった顔を見ながら、涼子は親子三人でお宮参りに行く姿を頭に描いてみる。

北山の父の家を出たのは、午後七時を過ぎていた。

ゆっくりしていけ、という父を振り切って出たのは、家で一人でいる母が心配になったのと、いつまでもいると、つい遊佐のことを喋ってしまいそうな不安にかられたからである。

そんなことは口が裂けても父にはいえないと知りながら、ふと、正直にうちあけたい誘惑にかられる。

これまで遊佐のことは、母にはもちろん、友達にも話さず、自分一人の胸のうちに隠してきた。

いつかその重荷から解放されたいと思っていたのが、優しい父を見て、つい甘えたくなったのかもしれない。

むろん父は、涼子のそんな心の悩みまで知るわけはない。涼子が横にいさえすればいいというように、笑顔で飲み続ける。

もともと父と娘とでは、話すことはあまりない。久し振りに会ったとはいえ、一時間もいれば、話は尽きてしまう。それを三時間もいたのは、遊佐を知って、父が急に身近に思えたせいかもしれない。

叔母も一緒に引きとめるのに礼をいって、涼子が立ち上がると、父が外まで送ってきた。

「また、きおしや」

不器用な父は言葉少ないが、その一言に優しさがあふれている。

三時間で立ったのは、その優しさのなかに甘えたくなる自分が怖かったからでもある。

車は再び山峡(やまあい)の道を下るが、来るときにぱらついていた小雪は止(や)んで、かわりに冷えこみが厳しくなっている。

しかし空は晴れ、山ぎわに昇りかけた月の明かりと、雪の山肌とで、北山杉の一本一本までがくっきりと見える。

涼子はなにか、白昼夢のなかにいるような気がしながら、これからのことを考えた。

はたして、今年はどんな年になるのか……。

店のこと、母のこと、そして遊佐とのことなど、考えなければならないことが山程ある。

だがそれらは、いま慌てて考えたところで、容易に結論は出そうもない。

「一体、どうするのん?」

もうこれまで何度、同じ質問をくり返してきたことか。自分に尋ねても、答えが出ないのを知りながら、口癖のようにきいてみる。

遊佐との愛が許されぬことは、誰よりも涼子が一番よく知っている。そんなことが知れたら、親戚も友達も、誰も相手にしてくれなくなる。これだけは、絶対に守らねばならない禁句である。

だが正直いって、遊佐と親しくなるまでは、これほど大事になるとは思っていなかった。アドベンチャーというと可笑しいが、一寸したスリルを味わいたいという軽い気持から近づいただけだった。

しかしそれはまさしく禁断の木の実であった。

どうしてこんなことに……と思ったときには、すでに手遅れで取り返しがつかなくなっている。

初めは軽い冒険のつもりが、気がつくと底無し沼に落ちこみ、身動きとれなくなっている。

いまここまできて、涼子がわかったのは、頭で思うことと躰の動きとは別だということである。

「いけない」とは思っているのに、遊佐の声をきくと、自然に躰のほうから動きだす。たとえ声をきかなくても、彼のことを思うだけで駆けて行きたくなる。

どうしてこんなにこらえ性がなくなったのか、自分で自分が不思議である。ときには、そんな歯止めのきかない自分が腹立たしく、情けなくなる。

だが困ったことに、そういう歯止めのきかぬときにこそ、自分がいま恋をし、人を愛しているという実感が、ひしひしと伝わってくる。

涼子が、自分に怖いと思うのは、そんなときである。一度、火がつきはじめると、もはや止まらず一気に燃えさかる。自分にそんな感情があったのかと自分で呆（あき）れるほど、激しく生ま生ましい。

その瞬間、理性や良心は消え、遊佐が母の恋人であったことも、母が遊佐を愛していることもすべて忘れて、遊佐という男しか見えなくなる。

母には悪いと思いながら、母に負けまいと思うのも、そんなときである。遊佐のことを思っていると、母は母でなく、菊乃というただの女になり、自分の恋を邪魔する余計な女と映ってくる。

なんという身勝手な怖い女なのか……。

涼子は自分のなかに、そんな自分が棲（す）んでいることに驚く。もしこんな心の内側を知ったら、みな驚き、魂消（たまげ）るに違いない。

たとえば店にくる客達は、涼子をただ若くて、愛らしい女と思っているようである。

その証拠に、彼等はよく、「そろそろ、大人にならんとあかんなあ」とか、「俺がええことを、教えてやろうか」などという。

むろん冗談だが、彼等はいずれも、涼子がまだよく男性を知らないと思っているようである。

たとえ知っていても、淡い恋を、少し齧ったただけだとたかをくくっているらしい。

「まだまだ、子供やからなあ、まだ、なんにも知らへんのやろ」

男達にそういわれる度に、涼子はあるうしろめたさを覚える。

「そんなこと、あらしません。うちはとうに大人です」

そういいたい気持をおさえて、笑いで誤魔化している。

もっともなかには、「涼ちゃん、このごろえろう色っぽくなったなあ」とか、「なんや、ええ男でもできたんか」と、ストレートにきく客もいる。

その度にどきりとするが、気持のうえでは、むしろそのほうが楽である。なにも知らないふりを装うより、自分に正直なほうが生きやすい。

だが彼等とて、涼子が母と恋人をとり合い、ときに母を怨めしく思っていると知ったら仰天するに違いない。

「どないするのん……」

堂々めぐりしたあと、再び自分に尋ねることになる。

もはや抜き差しならないところへきていることはたしかである。このままいけば、自分も母も、互いに憎みながら、ともに破滅の道を歩むことになる。

今度、東京へ行けといったのは、そんな地獄への道から抜け出すために、母が考えた方策なのかもしれない。母は、これまでのすべてを承知のうえで、涼子へ東京に行くよう命じたのかもしれない。

もしそうなら、母は自分のために、最愛の人を譲ったことになる。本当は自分が好きなのに、これ以上親娘で争う醜さに耐えかねて、自ら身を退いたことになる。

「そんなこと、あかん……」

暗いシートのなかで、涼子はつぶやく。

いま遊佐を好きなことはまぎれもない事実だが、その人はもともと母が愛した人である。母が見つけ、母がここまで恋し続けてきた人である。

そんな大切な人を、娘が横盗りしていいわけはない。

考えてみると、それは自明の理であった。いま改めて気がつくまでもなく、とうにわかっていたことである。それをいままで忘れていたのは、いっときの恋に狂って、自分で自分を見失っていたからである。

「東京へ行くのは、やめよう……」

涼子は自分にいいきかせて窓を見る。

車のなかは暗いのに、外は月明かりで夕暮れどきのように明るい。

「そうしおし……」

シートに背を凭(もた)せて、涼子はもう一度つぶやく。

車が右へカーブして、山裾(やますそ)に家が二軒並んでいる。その屋根にも雪が積もって月の光が輝いている。

涼子はふと以前、こんな風景を見たような気がした。

夜なのに異様に明るく、山も森も里も、その明かりのなかで止まっている。子供のときから何度か冬の北山にきているから、そのときに見たのかもしれないが、涼子が思い出したのは、そうした現実の風景ではない。なにか夢を見ているときに、ふと垣間見た風景のようである。

不思議なことにそれを見たあと、涼子は泣いていた。

なぜ泣いたのかわからないが、気がつくと目に涙が滲(にじ)んでいた。とくに悲しかったり、切なかったわけではない。ただいままで感じたこともない淋しさが、目覚めたあとも頭に残っていた。

いま、それとほとんど同じ風景が目の前に広がっている。夢に見たと変わらぬ風景が、あたりを取りまいている。来世というものがあるとすると、こんな風景かと思う。そんな夜の明るさのなかで、涼子は自分の気持が洗われていくのを感じていた。

車が京の街に入るにつれて道は混んでくる。前後は京都ナンバーだけでなく、大阪や神戸、さらには東京からの車も走っている。京の正月を楽しみに、全国各地から集まってきている。涼子はいつも思うのだが、京都の人々は正月だからといって、あまり戸外に出ず、多くは家に籠って静かな正月を過ごす。神社やお寺のお参りも近くですましてあまり遠くへ出かけない。

平安神宮や八坂神社の賑わいを見ると、ずいぶん京都の人が出ているように見えるが、実際は他所から来た人々のほうが多い。おかげで正月に混み合っているのは、有名な寺社や河原町や四条のあたりだけで、一歩小路へ入ると途端に静かになる。

涼子が母と住んでいる岡崎のマンションも、表通りから少し入っているので閑散としている。

涼子は入りがけに郵便受けを見たが、出がけに見たとおり、なにも入っていない。年賀状は元旦にまとめてきたので、二日目は配達のほうも休みらしい。

涼子は少しはぐらかされた気持で、エレベーターの前まで行って立ち止まった。

ロビーにある時計を見ると、八時である。もともと、ゆっくりしていけという父を振り切って帰ってきたのは、早く母のところに戻るためであった。

一人でいる母のことを思って帰ってきたのだが、いざ部屋に入る段になって少し戸惑う。

いまドアを開けたら、母がいて、そのまま今夜は一緒に過ごすことになる。そんなことは二人で住んでいる以上、当然のことだが、尻込み（しりご）したくなる気持もある。

この種の戸惑いはいまに始まったことでなく、遊佐と親しくなってからずっと持ち続けてきた。

エレベーターの前で立ったまま、涼子は親しい友達の顔を思い浮かべた。

ここから車で十分ほどのところに、大学時代からの親友がいる。正月休みは家にいるといっていたから、今日もいるはずだが、涼子は少し考えて電話をするのをあきらめた。

これからでは突然すぎるし、長いあいだ着物を着ていたので少し疲れてしまった。

やはり母のために帰ってきたのだから、まっすぐ戻ろう。

エレベーターにのりながら、涼子はいま、車のなかで考えてきたことをまとめてみた。

「お母さん、うち、東京へ行かしません。やっぱり、東京はお母さんがやらはったほうがええと思います」

そう申し出たら、母はなんというだろうか。母のことだから、一度いいだしたことをくつがえすとは思えないが、まず理由をきかれるに違いない。

「やっぱり、東京のお店は、うちには荷が重すぎます」

そんないい方で、母が納得するとも思えないが、とにかくいってみようか。

自分にいいきかせてドアを開けると、母の草履が一つ、片隅（かたすみ）に寄せられている。

涼子はそのわきに、自分の草履を並べて脱ぐと声をかけた。

「ただいま……」

内側のドアを開けてなかへ入ったが、リビングルームは明かりがついたまま母の姿はない。

不思議に思って寝室を覗くと、母がベッドで休んでいる。

「お母さん、どうしたん」

思わず近寄ると、母はすでに寝間着を着て、かすかに酒の匂いがする。

「お母さん」

もう一度呼んでみるが、静かに眠ったまま起きそうもない。

涼子は母の肩口に掛け布を寄せて、リビングルームに戻った。かなり大きい洋間だが、母はソファがいやだといって、部屋の片隅に炬燵を備えていた。そのテーブルの上に、お節料理の重箱と銚子がおかれている。

涼子が父と会っているあいだ、母は一人でお酒を飲んでいたようである。

「すみません……」

涼子はひどく悪いことをしたような気がしてつぶやくと、テーブルの上の銚子を片づけた。

椿(つばき)咲く

寒の椿が一輪、テーブルの上におかれている。といっても、一輪ざしに活(い)けられているわけではない。ベージュの平たい花器に斜めにさし込まれている。

おかげでピンクの花とともに、緑の葉の風情(ふぜい)も楽しむことができる。

遊佐はそれを見ながら、今朝、家の庭にも椿が咲いていたのを思い出した。

もっとも、庭の椿はほとんど散って、朽ちた花が立ち枯れの芝生をうずめていた。

椿は色の少ない冬に咲くのでよく目立つが、散ってからが無残すぎる。それも花の元から切れたように落ちるところが、首が落ちるのに似て、武士が忌(い)み嫌(きら)ってきた。

椿を見る度に、遊佐はそのことを思い出して、不吉な予感にとらわれる。

もっとも、いま目前にある花は生き生きとして、そんな思いにはほど遠い。

花は一輪だが凛(りん)として、あたりの空気を静めている。

それより、遊佐が戸惑ったのは、今日の食事の組み合わせである。三日前、菊乃から電話があって、今夜の食事を誘われた。遊佐の予定もあいていたので異論はなかったが、その組み合わせをきいて少し戸惑った。

菊乃と涼子と、遊佐と三人である。

「あなたを囲んで……」

菊乃はそういったが、遊佐にはその真意がわかりかねた。

「たまに、三人でお食事をしまひょう」

そういわれては、断る理由はない。承知してから、遊佐はもう一度、菊乃の真意を考えた。はたして言葉どおり、三人で食事するだけなのか、それとも、なにかべつの目的を含んでのことなのか。

その夜、遊佐は京都の店に電話をして涼子に尋ねたが、涼子は明日、母と一緒に東京へ行くというだけで、食事の予定のことは、まだしらされていないようである。

「今度、わたしが東京のお店をやることになったので、母と一緒に、いろいろな方のところへ、ご挨拶にまわることになっています」

その一環として、というつもりかもしれないが、それなら食事をするまでもない。それにいまさら挨拶というのも大袈裟すぎる。

「このままでは、三人で食事をすることになる」

遊佐が案じていうと、涼子がきき返した。

「それでは、いけませんか？」

「いや、まずいというわけではないが……」

「明日、夕方、東京へ参ります」

涼子は食事のことより、東京へ行くことで頭が一杯のようである。

だが遊佐は電話を切ったあとも、食事のことが気がかりであった。

菊乃と涼子と、二人を前にしてどんな会話をすればいいのか、なにか互いの腹を探り合うような、気の重い食事になりはしないか。

考えてみると、菊乃と涼子と三人で食事をするのは初めてであった。いままで、何度か一緒に会っているように思ったが、それはお座敷とか、宴席のあと、みなで飲みに出かけたときだけである。

改まって三人だけというのに、遊佐はこだわった。ともに深い関係にある女性を、二人並べて、食事をするというのも、あまり趣味がいいとはいいかねる。もっともそれは菊乃のほうからいいだしたことである。どうなろうと、こちらから求めたことではない。

今朝、遊佐はそんな開き直った気持で家を出てきた。

その出がけに、椿が散っているのを見たのが、頭に残っている。不吉というわけではないが、少し気になる風景であった。そのときと同じ椿が、いままた目の前に咲いている。

麹町のお屋敷街にあるレストランの控室だが、静まりかえって、遊佐一人しかいない。

もともとは洋菓子屋で、明治の初めに京都から移ってきた老舗である。菊乃が知っているのも、そういう関係からに違いない。

遊佐はこの店に、前に菊乃と一緒にきたことがある。むろんそのときは二人だけだった。商売のためというより、本当に気に入った客に、手製の料理を出すレストランである。

それだけに、入り口には店の看板もなく、いつも鍵がかかっている。客も多くて一日三、四組で、同じ業種の人がダブらないように配慮をしてくれる。レストランといっても、邸宅の落ち着いた一室、といった感じである。

その控室に椿があるのは、偶然にすぎない。家の庭で散っていたのとは、比較にならぬほど鮮やかな色だが、遊佐はそのつながりが、少し不気味だと思った。

菊乃親娘が現れたのは、それから十分あとだった。

「すんまへん、ずいぶん、お待ちにならはりましたか」

菊乃はショールをとりながら謝った。

「いや、少し前です。意外に車が空いていて、先に着いてしまいました」

まだ六時五分前だから、菊乃達が約束に遅れたわけではない。

「早速、おはじめになりますか」

店の女性に招かれて奥へ入ると、二組ほど先客があった。いずれも年配の人々で、静かな音楽の下で会話を楽しんでいる。

遊佐が入り口を背にした席に坐ろうとすると、菊乃が向かい側の席を指さした。

「そちらへ、お坐り下さい」

今夜は初めから、遊佐を客として上座に据え、菊乃と涼子はそれと向かい合った席に二人並んで坐るつもりらしい。遊佐は戸惑ったが、すでにテーブルにナプキンと食器がおかれているので、いわれるままに席についた。

「なにか、食前酒でも召し上がりますか」

「じゃあ、シェリーを」

遊佐は改めて正面の二人を見た。菊乃は濃い紺地に辛子模様の江戸小紋を着て、朱色の塩瀬の帯を締めている。

遊佐はいつも思うのだが、菊乃の着物姿は地味ななかに華やかさがある。いや味にならぬ程度に、一点、浮き立つものがある。今日は朱の帯が沈みがちになる全体を引きたたせている。

涼子はグレーのフラノのスカートに、胸元にビーズのついたモヘアの白いセーターを着ている。母の着物姿に対して、若さで対抗しているようである。

ワインが注がれ、軽く乾杯をしたところで菊乃がいった。

「今日はお忙しいところ、わざわざお出でいただきまして、ありがとうございました」

言葉の堅さに、遊佐は思わず姿勢を正した。

「いろいろ考えたのですが、ここは比較的お料理がさっぱりしていて、よろしいかと思って……」

「静かで、くつろぎます」

オードブルが盛られた大皿がテーブルの中央におかれる。スモークサーモン、チキンのガラテイン、ビーフの寄せもの、あわびのワイン蒸しなどが、三個ずつ並んでいる。それを小皿に取り終えたところで、菊乃がいった。

「実は突然どすけど、今度、東京の店を涼子にまかせることにしましたので……」

菊乃の言葉に、遊佐はゆっくりとうなずいた。

「はたして、つとまるかどうかわかりませんが、よろしうお頼もうします」

菊乃と一緒に、涼子が深々と頭を下げる。遊佐はそれに慌てて目礼を返しながら、これが親から娘へ女将がかわる正式な挨拶なのだと知る。

「これでようやく、肩の荷がおりました」

「しかし、東京の店から、まったく手を退くというわけではないでしょう」

「もちろん、同じ『たつむら』どすので、最終的にはうちが見ますけど、一応、表向きは、全部この子にまかせるつもりどす」

「大変だね」

「少し責任をもたせたほうが、大人になると思いまして」

涼子はきいているのか、あわびをナイフで切っている。

「東京の店に、お座敷をつくることはあきらめたのですか」

「あれはやはり、あなたのいわはるとおりです」

あなた、といった瞬間だけ、菊乃の顔に親しみが走った。

「またなにかと、ご相談にのっていただくときもあるかと思いますが、よろしうお頼もうします」

「僕でできることなら、いつでも……」

「遊佐さんが東京にいやはるから、安心どす」

今度は「遊佐」と、菊乃は名前で呼んだ。

「それで、いつから替わるのですか」

「うちは明日にも京都に戻りたいのどすが、いろいろ引き継ぎや整理もありますので、あと二日ほどいます」

いまは一月の末だから、実質的には二月からということになるのかもしれない。

「あとは、この子の自由です」

きき方によっては、菊乃の一言一言は、皮肉にもとれる。いやそれ以上に、こうして三人で向かい合って食事をしていること自体が、最大の皮肉なのかもしれない。

だが遊佐も菊乃も、そのことには触れない。

「これからは、ほとんど京都におりますから、お気が向きましたら、きとおくれやす」

遊佐はワインを飲みかけてやめた。

もし、涼子に逢うために京都へ行っていることを知っているとしたら、これも痛烈な皮肉である。

「このところしばらくご無沙汰しているから……」

涼子がちらと視線を向けたとき、ウエイトレスがスープを運んできた。それが三人に注がれたところで、遊佐がきいた。

「ときどき、東京へ出てくることもあるのでしょう」

「さあ、どうしまひょうか」

菊乃がスプーンを手にしたまま、かすかに笑った。

「いまさら、きてもお邪魔どっしゃろ」

遊佐が黙っていると、菊乃がいいなおした。

「お店は、もうまかせたんどすし……」

「しかし、用事はいろいろあるでしょう」

遊佐は先程から、涼子になんと話しかけていいのか迷っていた。

今日の服は、涼子をことさらに愛らしく見せているし、新しく東京の店を継ぐとなると、責任は重大である。そのことについても励ましてやりたいが、菊乃の前では素直にいいかねる。

涼子もなにかいいたげにときどき目を向けるが、言葉にはならない。

「三田のマンションは、そのままにしておくのですね」

「あれは思いきって、買いとることにしました。東京にお店がある以上、一つくらいあってもいいと思うて……」

会話がはずまないままソウルのムニエルがでる。

遊佐はまだ、自分がなんのために招かれたのかわからない。前から親しかったから、というには互いの表情が堅すぎるし、女将の交替の挨拶にしては長すぎる。

「しかし、大変だな」

遊佐が溜め息をつくと、菊乃がきき返した。

「なにが、どす？」

「いや、涼子ちゃんもまだ若いのに、責任が重くて……」

「涼子は、もともと東京が好きらしいおす」

「うち、前から一度、東京に住みたいと思うてましたから、頑張ってみます」

母の前だが、涼子はあっさりといいきる。

「やっぱり東京は広くて大きいから、若い女性には面白いのでしょう」

「それに、京都のようにこせこせしていないし」

「そんなこというて、羽根を伸ばしすぎてはいかんえ、怖い人も多いし」

「大丈夫、うちもう子供やないし」

「そのうち、悲しい思いをすることになっても、知らんえ」

親娘二人の会話をききながら、遊佐は奇妙な気持にとらわれた。

いま目の前に並んでいる二人の女性を、自分は知っている。それも名前とか顔といった表面だけでなく、もっと女の奥深いところまで見届けている。

たとえば二人だけになったときに、母の菊乃がどんな声を洩らし、どんな表情をして乱れるか。そして涼子の白い陶器のような肢体や、芽生えはじめた感覚の鋭さも。

それらは、二人が遊佐だけに見せた秘密であり、遊佐だけが躰で知った実感である。

その秘密は、どんなに親しい親娘同士でも、知ることはできない。

さらに会話を続ける二人を見ながら、遊佐は自分が彼女らを操っているような錯覚にとらわれた。

二人を手玉にとるというわけではないが、二人が自分をとおしてつながっている。

一瞬、遊佐は「男冥利」という言葉を思い出した。

もしそういうものがあるとしたら、いまこの状態が、まさしくそれに違いない。

「遊佐さん……」

菊乃の少し醒(さ)めた声で、遊佐は身勝手な夢から引き戻された。

「それで一つお願いがあるのどすけど、きいとおくれやすか?」

「なんでしょう」

遊佐は持っていたグラスを、テーブルにおいた。

「いまお話ししたとおり、これから涼子は東京に住むことになりますけど、まだ二十四歳で一人身どす。本人はたいそう智恵(ちえ)があるように思うてますけど、まだまだ子供どす。こんな広い東京に住んで大丈夫なのか、正直いうて心配どす」

菊乃はそこで軽く息をついた。

「そこでお願いどすけど、涼子の監督役をお頼みしたいんどす。そういうても朝から晩まで監督しとくれやすと、いうてるわけではおへんどす。ただできたら後見役として、いろいろ相談にのってやって欲しいんどす」

「…………」

「うちら京都人には、やはり東京は怖いところどすし、どんな人がいはるかもわからへんし……」

いったい菊乃はなにをいおうとしているのか。東京に娘一人をおくのが心配なので、父親役になってくれということなのか、それとも仕事の上で相談にのってやって欲しいということなのか。あるいは、これまでの涼子との関係を絶ち切れということなのか。

「ほんまに、遊佐さんのような信頼できるお方がついとくれやしたら、安心して京都に戻れます」

「どうか、よろしうお頼もうします」

「………」

丁重に頭を下げる菊乃を見ながら、遊佐はそのすべてが自分に対する痛烈な皮肉にも思えて目を伏せた。

食事のメインはロースト・ビーフであった。

フランス料理を食べるとき、普通の肉はソースが濃すぎて、いささかもてあましてしまう。菊乃はそのあたりを察して、比較的あっさりしたロースト・ビーフを選んでくれたようである。

もっとも、菊乃も涼子も、料理屋で育ったせいか、洋食よりは和食のほうが好きらしい。二人に共通する繊細な肌は、和食が育んだもののようである。いまその、二人のやわらかな指がナイフとフォークを動かしている。菊乃はゆっくりと、涼子はかなり大胆に切っていく。

話題は途中から、気候のことに変わっていた。

これからの二月が、東京は最も寒くて雪も降る。とくに雪は一月より、二月の末から三月の初めにかけてのほうが多い。ようやく梅の便りも届いて、春が近づいてきたと思うときに降るだけに、このごろの雪を怨めしく思う人も多い。

「けど、寒いことというたら、京都のほうが厳しおす。雪も東京より多いのと違いますか」

菊乃がいうとおり、京都は盆地だけに冷えこみは厳しい。

「しかし、京都の雪はそれなりに風情があるでしょう」

一度、遊佐が「たつむら」で食事をしているとき、庭の竹に雪が積もっているのが、障子のガラスごしに見えた。雪は竹の葉の上にのって、さほどの量ではなかったが、見ているうちにその雪が下の蹲に落ちた。

「かさ」という小さな音がしただけだが、それがいっそう夕闇の迫る庭の静けさをかきたてた。

「東京はビルばかりで、雪が降っても、ただ交通渋滞を招くだけです」

「そんなことあらしまへん。東京かて、静かなお庭の雪は、やはり風情がありまっしゃろ」

そういわれるとそのとおりだが、東京では改まって雪を眺めたという記憶はない。

「一度ゆっくり、雪でも見ながら温泉にでもつかりたいね」

遊佐はなに気なくいったが、菊乃と涼子は、一緒に行く人のことを考えたようである。

二人とも、うなずきかけて戸惑っている。

「いつもそう思いながら、気がつくと冬が終わってしまう」

遊佐はそうつけ足して、ワインを飲んだ。

メイン・ディッシュが終わると、デザートにゼリーがでてくる。大きな皿に、ミルクや抹茶、ペパーミント、赤ワインなど、さまざまな色のが並んでいる。

遊佐が抹茶を小皿にとると、涼子は、どれをとろうかと迷っている。ゼリー一つ食べるにも、目を輝かすところが、若い女性らしい。

デザートのあと、コーヒーを飲んで、店を出ると八時だった。

「これから、どうしますか」

店の前には、遊佐の車が待っていた。

「よかったら、どこかへ飲みに行きませんか」

遊佐が誘うと、涼子が顔を上げた。

「わたしは、ちょっと用事がありますから、ここで……」

あとは「どうぞ」というように、二人を見た。

「一軒くらい、いいでしょう」

「九時に新宿でお友達と会う約束がありますから、べつの車を拾います」

そういうと、早くも近づいてきた空車に手をあげる。引きとめる間もなく涼子が去って、あとには遊佐と菊乃だけが残された。

「じゃあ、ちょっと行こう」

「でも……」

「まず、乗って下さい」

促されて、菊乃は奥の席に坐った。

「銀座で、いいですね」

車が動き出したところで尋ねると、菊乃が首を傾げた。

「わがままいうても、よろしおすか？」

「もちろん」

「横浜へ、連れていっとくれやす」

「横浜？」

「一回、行ってみたかったんどす」

遊佐はうなずくと、運転手に、「横浜へ」と告げた。

「勝手なこというて、すんまへん」

「横浜は、僕も久しぶりだ」

車は霞が関の高速入り口へ向かって、走り出す。遊佐は一人で去った涼子のことを考えた。交叉する車のヘッドライトの列を見ながら、本当に、涼子は友達と会う約束があったのか。あれは、自分と菊乃を二人だけにするための口実ではなかったのか。

「しかし……」

つぶやきかけて、遊佐は声を呑んだ。最後だから、二人だけにさせようというつもりなのか、それとも、それでこちらの様子を見ようという魂胆なのか。

菊乃と並んでシートに背を凭せながら、遊佐は考えた。


横浜は、遊佐もあまりよく知らない。大学時代に友人がいて、何度か遊びに行ったことはあるが、いまは当時とはすっかり変わってしまった。

せいぜい中華街とか山下公園、それに本牧のあたりを知っているだけで、馴染みのバーやレストランがあるわけではない。

もっとも、菊乃はそういうところを求めて、横浜に行きたい、といいだしたわけではなさそうである。それより、いっとき騒々しい東京を離れて、夜の海でも眺めたいらしい。

「まず、山下公園にでも行ってみようか」

八時を過ぎて、高速道路の渋滞はないようだが、上下線とも車の列が続いている。

「この道は、夜通し混んでいるのです」

説明しながら、遊佐はこれから、菊乃と二人で旅に出かけるような錯覚にとらわれた。

東京から横浜まで、せいぜい三十分のドライブだが、そんな気持になるのは、やはり東京から離れるせいかもしれない。

「横浜へは、初めてですか？」

「もう十五、六年前に、ちょっとだけ……」

「それじゃあ、ずいぶん変わっている」

「もう、行く機会もあらへんと思いますので」

「そんなことはない、近いから、行く気になればいつでも行ける」

「もう行く気がおきひんと思います」

今夜、菊乃が急に横浜へ行きたいといいだしたのは何故なのか。

遊佐はそれを知りたいが、この場では尋ねにくい。

遊佐は光の流れる前方を見ながら、菊乃を身近に感じていた。

以前、二人でドライブしたときは、片手で運転しながら、一方の手で握り合っていたときもあった。

いまも少し手を伸ばせば、菊乃の膝の上にある手に触れることができる。それを知りながら、手を触れないところが、相手を意識している証拠でもある。

そのまま、車は横浜公園のインターを出て公園に着いた。カーラジオでは冬型の気圧配置が定まって太平洋岸は晴れるといっていたが、さすがにこの寒さでは、海を見にきている人はいない。

だがその分だけ空気は澄んで、岸壁の灯や船の灯が、夜空と海に散らばっている。

菊乃は羽織の上にショールをかけ、海ぎわの通路まですすんだ。

「潮の匂いがします」

いわれて佇むと、足元でかすかに波の音がする。二人はそこから海ぞいに百メートルほど行き、ホテルになっている客船を眺めてから、また車のなかへ戻った。

「体が冷えてしまった。少し飲もうか」

公園の向かいに、ホテルがある。そのバーへ行って、遊佐は水割りを、菊乃はブランデーを頼んだ。

「海を見たのは、二年ぶりです」

「そんなことはないでしょう。新幹線で往復する度に、海が見えるはずです」

「いつも遠くからで、あんなに近くまで行ったのは久しぶりどす」

「それなら、僕も同じかもしれない」

遊佐は自分のグラスを、菊乃のグラスに軽く触れた。

「夜の海のために……」

そのいい方が少しキザだったのか、菊乃がかすかに笑った。

「さっきは、風邪を引くかと思った」

「けど、船の明かりがきれいどした」

遊佐はうなずきながら、また涼子のことを思った。

いまごろ新宿で友達に会っているのか、それとも、三田のマンションに戻りかけているのか。

考えていると菊乃がいった。

「今日、こんなところへ連れてきてもらえるとは、思うてしまへんどした」

「ここでよければいつでも」

「もう、わがままはいわしまへん」

菊乃があんまりはっきりいうので、遊佐はきき返した。

「それはどういうことかな」

「ただ、それだけどす」

これからはもう今夜のような逢い方はしないというつもりなのか、遊佐は急に不安になった。

「来月の半ばすぎに、京都へ行きます」

「みなさまと、ご一緒でしょう」

「初めの宴会が終われば、あとは自由です」

「まだ、お逢いしなければ、いけまへんか?」

「べつに、いかんというわけではないけど……」

菊乃がゆっくりと首を振る。その冷ややかな顔を見るうちに、遊佐の気持が燃えてくる。

「うち、本当にそう思うているのどす」

「もう、逢わないというわけですか」

「そのほうが、よろしおす」

「なぜ……」とききたい気持をおさえて、遊佐はグラスを見た。

「しかし……」

逢わないといわれて、遊佐はさらに追いかけたくなった。相手が逃げだすと追いたくなるのが、恋の心理かもしれない。

「そんなに、考えすぎることはないんじゃないかな」

「………」

「たまに、京都で暢んびりしたい」

「お代わりをいただきます」

菊乃は答えず、自分でブランデーを頼んだ。

「あまり、つまらぬことは考えないことです」

「どうして、それがつまらへんことどす？」

もともと理屈はないのだから、そう改まってきかれても答えにくい。

「せっかくの機会だから……」

曖昧なまま、遊佐のなかで、菊乃への未練がふくらんでいく。

それを抑えるように、さらに飲み続ける。また新しいお代わりをしたところで、遊佐は立ち上がった。

「もう車は帰ってもらいます」

「……………」

「あまり待たせると悪いから。帰るときは、また別の車を呼びます」

遊佐はホテルの入り口に行き、待っていた車の運転手に、先に帰るように告げた。

それからフロントの横の電話から三田のマンションに電話をしてみたが、誰もでない。

もう一度かけ直して、涼子が戻っていないのをたしかめてからバーへ戻ると、菊乃が片手を額に当てて項垂れていた。

「どうしたんですか、気分でも悪いんですか」

「すんまへん、ちょっと酔うただけどす」

菊乃は顔を上げると、前髪のほつれを搔き上げた。

いつもは、酔うと赤くなるのが、今日は少し蒼ざめ、形のいい額が白く浮き出ている。

それを見るうちに、遊佐の脳裏に、情事のときの菊乃の表情が甦ってきた。

燃えだすにつれて、女は額に皺を寄せ、顔全体が哭き顔になり、遊佐の背にきりきりと爪を立ててくる。

数えてみると、もう何カ月、そんな菊乃と接していないのか。

「そうか……」

遊佐がつぶやき、溜め息をつくと、菊乃がうなずいた。

「そろそろ、帰りまひょうか」

「車は帰してしまいました」

「けど、もう十一時です」

「今日は、三田に戻るのですか」

「他に、行くところはありまへん」

遊佐はグラスを持ったまま、また涼子のことを思った。

もしこのまま、菊乃と一夜を過ごしたら、涼子はなんというだろうか。

一見大人しいが、若いに似合わず気は強い。情事のとき、額に同じ皺を寄せるように、気の強さは母親ゆずりのようである。

いま菊乃を求めたら、涼子は烈火の如く怒り不実をなじるか、それとも以後きっぱりと拒絶されるか。それだけは避けなければと思いながら、そんな危険を冒してみたいという気持もある。

「今夜、ここに泊まりましょうか」

菊乃は咄嗟に意味がわからなかったようである。しばらく遊佐を見てからつぶやいた。

「どない、しはったんですか」

「泊まっていきたいと、いっているのです」

一度いい切って、遊佐は度胸がついた。

「いいでしょう」

ここまできたら、あとはすすむだけである。

「いま、部屋を措りてきます」

「待っとくれやす」

菊乃が正面から遊佐を見据えた。白い額は醒めて、さらに白さを増したようである。

「どういう、おつもりどす？」

「どういうつもりって……」

「そんなことおしやして、ええのどすか」

遊佐は顔をそらしたまま、うなずいた。

いまはなんとしても、菊乃が欲しい。我儘といわれようと、勝手といわれようと、このまま菊乃を抱きしめたい。

「頼む……」

きちんとスーツを着てネクタイを締めた中年の男が、和服の婦人の前で頭を下げている。ホテルのバーのざわめきのなかで、二人のところだけが、別世界のように静まり返っている。知らない人が見たら、男が婦人に失礼なことをして謝っているとも、なにかを依頼しているとも見える。

誰が見ても、まさか男が女を求めて頭を下げているとは思えない。

「欲しい……」

遊佐はつぶやいてから、自分の正直さに呆れた。そんなことを、バーで堂々という男がいるだろうか。

だがどういうわけか、遊佐は菊乃の前にでると、その種のことを平気でいうことができる。以前には、「君を抱きたい」とも、「食べたい」といったこともあった。

これが涼子なら、こんなストレートなことはとてもいえない。いますぐ抱きたくても、ひとまず別の話をしながら、女性がその気になるまで待つ。

しかしいまは、そんな面倒な会話よりまず躰が欲しい。まさに「雄」そのものだが、もともと菊乃は、男をそんなふうにさせる魔力を秘めている。

「いいでしょう……」

今度はおねだりしてみるが、菊乃は軽く顔をそむけたまま答えない。

その白い額と細い首が、いっそう遊佐の気持をかきたてる。

もう何度、目の前の女体を抱き、その快楽に溺れたことか。いま肩口に手をそえ、背にそって指をおろしていけば、どんな反応を示し、どんな声を洩らすかも知っている。

菊乃の躰に対する遊佐の記憶は、まさに「知悉」という言葉にふさわしい。知りつくして、もはや新しく探検する個所とてない。

その躰を求めて、大の男が深々と頭を下げている。

二人の事情を知っている人が見たら、「性懲りもなく」とも、「恥ずかし気もなく」とも思うかもしれない。涼子というものがいながら、「なんという破廉恥な……」という人もいるだろう。

だがいまの遊佐には、目の前の菊乃がまったくべつの女に見えている。いままで飽きるほど逢瀬を重ね、むさぼり合った相手とは違う、新鮮な魅力を感じている。

遊佐は自分で自分の無謀さに呆れながら、菊乃とのあいだにあった、十カ月におよぶ空白を思い出してみる。

しばらく触れずにいたことが、新しい好奇心と愛着をかきたてたようである。離れていたが故に、愛しさが増したともいえる。久しぶりに身近にいる菊乃は、かつての生き生きと華やいでいた菊乃ではない。なにやら萎れて、いささか生気を失っている。

しかしいまの遊佐には、その弱って頼りなげなところに、いっそう心を惹かれる。いままでのてきぱきとした女将とは違う、窶れてもの憂げなところが、いっそう男心をそそる。

「いいね……」

もう一度、たずねるが答えがない。

だが遊佐は、答えのないことを承諾と受けとった。

思いきって立ち上がると、遊佐はそのままフロントへ行き、チェックインの手続きをした。

部屋はダブルで、海の見える側であった。

遊佐はカーテンをあけ、公園と海がつながる暗い空間を見下ろした。

「前は、さっきの公園だよ」

菊乃はきこえぬようにショールとバッグを持ったまま、部屋の真ん中に突っ立っている。何故部屋まで従いてきたのか、自分でも戸惑っているようである。

「明かりは大分、減っている」

もう一度いったが菊乃は答えない。遊佐としても、答えてもらえると思っていったわけではない。

夜のホテルに二人で入ったことへのぎごちなさは消えないが、ともかく、話しかけたことで雰囲気は少し和んだようである。

それに自信をえて、遊佐は菊乃の前に立った。

「久しぶりだ……」

遊佐は一つ息を吐いてから菊乃の肩に手を廻し、静かに抱き寄せた。

引きずられるように、菊乃の上体が倒れこみ、それをささえる形で遊佐は唇を重ねた。

菊乃は目を閉じ、されるままに接吻を受ける。その静かな顔を盗み見ながら、遊佐はこの数回の二人の逢瀬を反芻した。

一度目は、東京の「たつむら」がオープンした直後であった。二人で遅くまで飲んで菊乃を三田のマンションまで送っていった。

もっとも、酔ったのは菊乃のほうで、足元が頼りないので部屋まで送っていったのである。そのままソファに倒れた菊乃をベッドへ運び、寝かせてやった。

その折、接吻を交わしたが、菊乃はまったく無防備で、遊佐が求めても逆らう気配はなかった。

だが、次の瞬間、遊佐の脳裏に涼子が甦り、そのままなにもできずに帰ってきた。

もう一度は、十一月の菊乃の誕生日の夜で、帰りに菊乃をマンションまで送っていった。正直いって、遊佐はそのとき菊乃を欲しくなっていた。涼子に悪いと思いながら、もし菊乃が許してくれるならと、勝手なことを考えていた。

例によって菊乃は酔い、桜の樹が見えるベランダにうずくまり、酔いを冷ましていたが、遊佐が近づくと、きっぱりと、「帰っとくれやす」といいきった。

甘い考えの遊佐の目を覚ますような、巍然とした断り方だった。

考えてみると、菊乃への欲求はそのときから、ふくらみかけたようである。

遊佐は接吻を交わしながら、改めて過去の二つのときのことを思い出していた。

初めのときは遊佐のほうが燃えきれず、二度目は菊乃のほうがその気になれなかったようである。

そしていまは、ともに求め合っている。

少なくとも、接吻を交わしているかぎりでは菊乃の躰はやわらかく、逆らう気配はない。

遊佐は自信をえてさらに耳元にふれると、菊乃の首がぴくりと震える。

このまま胸を開き、帯をくずすと、自然に菊乃の躰は開いていく。すみずみまで知りつくしている躰なのに十カ月の空白が、新しい冒険に向かうような高ぶりを与える。

そのままベッドのわきへ誘って横たわると、菊乃がつぶやいた。

「明かりを消して……」

遊佐は肩に腕を廻したまま答える。

「そんなに、明るくないよ」

「いやどす」

遊佐は仕方なくサイドテーブルに手を伸ばし、メインのライトを消して、枕元(まくらもと)の明かりだけにする。

「全部、消して……」

菊乃がこんなに明かりにこだわるのは珍しい。以前は大きな明かりはともかく、枕元のスタンドくらいは許していた。

「それじゃ、なにも見えない」

「真っ暗に、しとくれやす」

再びいわれて、遊佐はあきらめた。

「じゃあ消すから、脱いでくれるね」

明るさに慣れた目に、いったん闇が訪れ、それから天井と窓ぎわの白い壁だけが浮き出てくる。

「脱いで……」

もう一度促すと、菊乃はベッドの足元で着物を脱ぎはじめた。

暗闇のなかで、菊乃の動きはほとんどわからない。ただときたま横を向く顔の白さだけが浮き出る。

遊佐はその白さを追いながら、菊乃が明かりにこだわった理由を考えた。

涼子と比較されることを、恐れているのだろうか……。

しかし、遊佐はそんなつもりで明かりを求めたわけではなかった。

燃えあがってくると、菊乃は眉間に皺を寄せ、切なげな哭き顔になる。その切羽つまった顔を見たくて、枕元の明かりを残しただけである。

闇のなかで帯のすれる音がして、菊乃の輪郭がわかってくる。うしろ向きで着物のわきを広げ、被衣をかぶっているように見える。だがすぐ、それが頭を垂れたまま長襦袢の紐を解いているのだとわかる。

遊佐は目をこらしながら、久しぶりに着物を脱ぐ女を待っている自分に気がつく。

これまでも、涼子が着物を脱ぐのを待ったことがあるが、涼子の脱ぎ方はてきぱきとして早い。しかも最近は洋服のことが多かった。

菊乃のように、着物を肩に掛けたまま、一本一本紐を解くわけではない。菊乃の脱ぎ方には、どこか嫋々として秘めやかなところがある。

やがて脱ぎ終わったのか動きがとまり、いままで立っていた影が小さくなって蹲みこみ、その位置から、黒い影がゆっくりと近づいてくる。

闇のなかで、白い長襦袢がかすかに揺れている。音もなく近づいた菊乃は、ベッドのわきで一瞬ためらい、それから身を屈めるとそろそろと入ってくる。

遊佐は毛布の端をあけ、全身が忍びこんだのを見届けて一気に抱き寄せる。

「うっ……」

瞬間、小さな声が洩れ、襦袢の襟の芯地がおさえつけられて、きゅっとなる。

遊佐はかまわず襟のあいだに手をさし込み、胸を開く。

菊乃の胸のふくらみはさほど大きくはないが、あたたかくてやわらかい。長いあいだ和服を着馴れて抑えつけてきたはずだが、形はほとんど崩れていない。外から見ると痩せぎすなのに、菊乃は骨細のせいかごつごつした感じはなく、やわらかい円柱を抱いているようである。

この感じは涼子も同じで、抱きしめると、胸元に軽くつき当たる感じがある。

ただ強いて二人で違うところといえば、菊乃の肌はさらさらしているのに、涼子のほうはすべすべして弾んだ感じがある。このあたりは、やはり若さの違いかもしれない。

だが遊佐には、そのことはあまり気にならない。それどころか、久しぶりのさらさらした肌に、むしろ親しみを覚えている。

そのまま、しばらく肌の感触をたしかめてからそろそろと手をおろしていく。

いつものことだが、菊乃はベッドに入るときに、長襦袢とともに裾よけをつけてくる。白い絹のなめらかなものだが、その紐をはずす作業が一つ残っている。

初めのころ、遊佐はそれが煩雑だと思ったことがある。そんなものがなかったら、もっと早く求められるのにと苛立った。

だが、いまはその二重の手間がむしろ好ましい。

菊乃と涼子との違いはそのあたりにもあって、涼子は着物を脱ぐと長襦袢一枚でとびこんでくる。それも若者らしく小気味いいが、裾よけの紐を解き、前を開いていく過程には、また別の風情がある。

闇のなかで手探りに紐を解きながら、遊佐は躰の許し方まで親から娘へ伝えられるのだろうかと考える。

まさか、いかに母だからといって、そこまでは教えないだろう。

そう思った瞬間、菊乃が急に貴重なものに思えて、さらに強く抱きしめる。

「好きだよ」

いま遊佐は素直にそう思う。そのまま涼子のことも忘れて求めようとすると、菊乃がつぶやいた。

「ええのどすか……」

遊佐は少し気勢を殺がれて、ききかえした。

「なに？」

「こんなことをして……」

遊佐は、菊乃のいおうとしていることがわからなかった。いまここで結ばれていいのか、ときいているのか、それとも涼子に対して平気なのか、と問いただしているのか。

戸惑いながらうかがうと、菊乃は闇のなかで胸をはだけられたまま横たわっている。

遊佐はその白い輪郭を見たまま、首を左右に振った。

いまこんなところで、いい悪いをきかれたところで答えようはない。ここまできたら、もはやすすむだけである。部屋で二人になってからは、善悪で行動しているわけではない。ただ女体の美しさと、その華麗な花の淫らさが欲しくて、求めているのである。

最近はそれにくわえて、許されぬ世界に堕ちていく快感も覚えている。

「もちろん」

遊佐は、自分にいいきかせるようにつぶやくと、懐かしい蜜のなかに自らを沈めていく。

まどろんだ頭のなかに、かすかな衣ずれの音がする。闇のなかで、影が揺れているようである。

誰かが起きている、と思った途端、遊佐はその影が菊乃であることに気がつく。起きなければと思いながら、遊佐の躰はまだはっきりと目覚めていない。あたたかい床のなかで、躰はなお惰眠を求めている。

うつらうつらとしたまま、衣ずれの音をきいている。これも柔肌に触れたあとの余情である。

だが菊乃はまだ、遊佐が目覚めかけていることを知らないようである。

相変わらず、闇のなかで黒い影が忍びやかに動く。それを見るともなく見ているうちに影の動きがとまり、バスルームに消えた。

まさか、このまま黙って帰るわけではないだろう……。不安とともに、遊佐の頭が覚めてくる。

上体をのばし、サイドテーブルの時計を見ると一時である。

やはり、菊乃と満たされてから、少し眠ったようである。さほど深くはないが、そのあいだに菊乃は起きだしたらしい。

遊佐はまわりを見廻し、ここが横浜の港に近いホテルの一室であることを思い出した。

この部屋に入る前、菊乃と散策した公園もいまは夜更けて人影もなく、街灯だけが海に明かりを落としている。

そこまで考えて、遊佐は起きることにした。

ゆっくりと寝返りをうち、頭を擡げる。そのとき光が洩れて、菊乃がバスルームから出てきた。

どういうわけか、遊佐は慌ててまたベッドにもぐりこんだ。

バスルームのドアが閉められ、再び闇が訪れたところで黒い影がゆっくりと近づいてくる。

遊佐は眠りをよそおいながら、少年のように胸をときめかしている。

影が近づくとともに女の香りが漂い、肩口が軽く叩かれる。

「お起きに、ならはらしまへんか」

はっきりと耳元でききながら、遊佐はなお眠りをよそおう。

もう一度、肩口が叩かれ、菊乃がささやく。

「すんまへん……」

その声をきいて、遊佐ははじめて気がついたように顔を左右に振り、つぶやきを洩らす。

「なに……」

「すんまへん、お休みになってはるのに」

目の前に、菊乃の白い顔が沈丁花のように、ぼうと浮かんでいる。

「いま、何時?」

「一時です。このまま、寝てしまはりますか」

「しかし、君は……」

「わたしは、一人で帰れますから……」

それをきいて遊佐の頭は急速に覚めていく。

「もちろん、一緒に帰る」

今度は本気で起きかけたが、ふと悪戯(いたずら)をしたくなって菊乃の手を引きよせる。

逃げようとする菊乃の耳元に、素早くささやく。

「いけまへん」

「とても、よかった……」

いま再び求める気力はないが、それだけはいっておきたい。

車は深夜の高速道路を東京へ向けて走っている。

午前一時を過ぎて道路は空(す)いているが、大型トラックがしきりに行き交う。この道は京浜工業地帯を縦貫しているだけに夜も静まることはない。

やがて川崎あたりか、右手の夜空に赤い火が見えてくる。羽田の沖に近い工場の煙突からのようである。

遊佐はその火を見ながら、涼子のことを考えた。

もうこの時間なら、帰っているに違いない。まだ起きてテレビでも見ているのか、それともすでに休んだか。

涼子が休んでいればいいが、起きていたら、菊乃はなんといいわけをするのか。「遊佐さんと一緒に、横浜へ行ってきたんえ」と、正直に告げるのか。それとも「遅うなって、ご免なさい」と、だけいうのか。

いずれにしても、遊佐と菊乃が一緒だったことを、涼子は知っている。

二時近くに帰ってきた母を、涼子はどう思うだろうか。

六本木や赤坂なら、遅くまでやっている店が多い。そこで飲んでいたといったら、一応の理由はつく。それをきいて、まさかホテルにまで行ったとは思わないだろう。

しかし、涼子は敏感な女である。とくに最近は勘が冴えている。

いままで飲んでいたといっても、今夜の菊乃はさほど酔っていない。それに、菊乃の髪形や顔の表情などを見たら、なにかを察するかもしれない。

深夜慌ただしく帰ってきた母を、冷ややかに見つめている涼子の姿が目に浮かぶ。

「お帰り……」と平静をよそおいながら、涼子の目は鋭く母を追う。

その目から、菊乃はうまく逃れられるだろうか。考えながら横を見ると、菊乃も振り向いた。

「なにか?」

「いや……」

遊佐は一つ息をのんでからいった。

「もうじき、東京だ……」

「早う、おすね」

「でも、今夜、逢えてよかった」

それは、いまの遊佐の偽らぬ気持である。涼子とのことはともかく、二人で逢ったことを悔いてはいない。

「やっぱり、明後日、帰る?」

「へえ……」

遊佐は横へ手を伸ばすと、膝の上にある菊乃の手に重ねた。そのまま自分のほうに引きつけて握ると、菊乃の指もかすかに応える。

つい数時間前、横浜に来るときは、指一本触れなかったが、いまはごく自然に触れ合える。やはり男と女のあいだで、躰をたしかめ合うことは大きい。その一事で、いままでのわだかまりが消え、素直に己をさらすことができる。

「また、逢いたい」

「……」

「いいでしょう」

握った指に力をくわえるが、菊乃は手をあずけたまま黙っている。

運転手の手前もあって、遊佐はそれ以上いえず、シートに背を凭せた。

いつのまにか、右手に見えていた赤い火は消えて、車は都内の高速に入ったようである。行く手に光の海が広がる。

遊佐がそっと腕時計を見ると、一時三十分である。

「二時前には着く」

菊乃は答えず、前方を見ている。その顔に、遊佐は尋ねる。

「遅くなったけど、大丈夫かな」

「平気どす」

思いがけずきっぱりしたいい方に、遊佐はもう一度、菊乃をうかがう。

案じていたが、菊乃は心配している気配はない。午前二時くらいになったからといって、怯えることはないといっているようである。

それが母親の自信なのか、あるいは強さなのか、遊佐は感服しながら、少し不安にもなる。

菊乃が動じていなくても、涼子の疑いが消えるわけではない。

車は芝のインターを降りたようである。ここから三田のマンションまでは五分もかからない。

遊佐はまだ、涼子のことについて一言も話していないことに拘泥(こだわ)っていた。初めは三人で食事をしたのだから、少しくらい話題にすべきであった。考えてみるとこの半年、菊乃と二人でいながら、涼子について話したことはなかった。考えようによっては、話題にしないということが、異常でもある。

車は魚籃坂(ぎょらんざか)から伊皿子(いさらご)のほうへ上がって行く。そこから五、六百メートルも行けば菊乃のマンションである。

涼子のことを話そうと思いながら、話せぬうちに車は停(と)まった。

ドアが開き、まず遊佐が降り、菊乃が降りる。

マンションの前はひっそりとして、横の電柱に張ってある紙片がはたはたと揺れている。

遊佐がコートのポケットに手をつっこんだまま立っていると、菊乃が深々と頭を下げた。

「今日はおおきに、本当にありがとうございました」

遊佐は一歩近づいた。

「今度は、京都で、いいでしょう」

「お待ちしています」

「また……」

いいかけたとき、菊乃がまっすぐ遊佐を見た。

「これで、終わりにしまひょう」

「そんな……」

「そのことは、初めからいうてるはずどす。ほな、お休みやす」

もう一度頭を下げると、菊乃はくるりと背を向け、マンションの入り口に向かう。

「しかし……」

遊佐は慌てて追うが、菊乃は小走りにドアを開けてなかへ入っていく。

遊佐はなお追いかけようとしたが、ふと涼子に見られるような気がして立ち止まる。

そのあいだにドアが閉まり、菊乃のうしろ姿がロビーの先に消える。

遊佐は人影のなくなったマンションのなかを見つめたまま、溜め息をついた。

なんとも鮮やかな消え方である。

あのまま菊乃は平然と部屋へ戻るのであろうか。

遊佐は気をしずめるように、煙草に火をつけると、車に戻った。

「高円寺へ……」

自宅の住所をいってから、シートに背を凭せる。

なにかひどく疲れたような、ほっとしたような妙な気分である。

つい少し前まで充実し、満ちたりていたものが消え、躰のなかに穴があいたようである。

といって、とくべつ悲しいわけでも、気が滅入ったわけでもない。ただ躰のなかをさらさらと風が過ぎていく。

遊佐はその曖昧な気持のなかで、再び菊乃のことを思った。あれから部屋にもどって、涼子は起きていたのだろうか。もし起きていたら、親娘はどんな会話を交わすのだろうか。

二人のことを考えながら、遊佐は自分に尋ねてみる。

「ところでいったい、お前はどちらが好きなのか……」

初めはまさしく菊乃を愛していたが、途中から若い涼子に惹かれた。そのまま涼子を追い求めていたが、また思い出したように菊乃が欲しくなった。

若い涼子はむろん愛しいが、年輪を重ねた菊乃の情も捨てがたい。

この二人の女性の、美点を同時に享受することはできないものなのか。なんとも贅沢な要求である。美点を同時にといっても、実際は二つの女体に溺れているただの好色ではないか。

考えるうちに遊佐は、自分のいい加減さに呆れ、唾でも吐きつけたい気持になる。これでは子供が駄々をこねているに等しい。いい年齢をしてなんと分別のないことか。だが自らをおとしめると、今度は弁護をしたくなる。

ただの好色でなにが悪いのか、もしここに美しい女体が二つあって、いずれでも獲れといわれたら、男は即座に手を伸ばす。初めは若いほうかもしれぬが、許されることなら、二つとも同時に得たいと思う。これが雄というもので自分はその性に素直に従っているだけである。

途中からは、もはや開き直りに近い。これではただの屁理屈で、いいわけにもならないと知りながら、なお肯定しようとする。

「しかし……」

今日の態度を見るかぎり、菊乃はもう二度と逢う気はないようである。今夜許したのも、これが最後と思ったかららしい。

一方の涼子も、もし遊佐が母と接したことを知ったら、急に頑になるかもしれない。とにかくこの釈明はむずかしい。

もともと執着心ということからみれば、涼子のほうが弱そうである。いまでこそ恋の焔を燃やしてはいるが、それが長く続くという保証はない。それは涼子の性格というより、むしろ若さのせいである。

「そうか……」

遊佐の脳裏に不吉な予感が芽生える。

もしかすると、今夜が二人の女性と逢う最後だったのかもしれない。

菊乃はそれを意図して、遊佐を横浜まで誘い、ベッドをともにし、涼子もそうなることを承知で、食事のあと早々に去っていった。

さらに深夜、親娘でお茶を飲みながら話している姿が浮かんでくる。

「あの方は、わたし達がしめし合わせているのも知らないで……」

遊佐はそこまで考えて、慌てて首を左右に振る。まさか、あの二人がそこまで人が悪いわけはない。

「罪深いことをしていると、考えることまで賤(いや)しくなる……」

遊佐は自分にいいきかすと、暗い夜の街に目を移した。

雪降る

東京の「たつむら」は、京都の店に較べて営業時間がはるかに長い。

ホテルのなかにあるせいで、朝七時から朝食をだし、昼を経て、夜は十時すぎまで営業する。

途中、午前と午後に、二、三時間、客が途絶えるときがあるが、一日、十五、六時間、店を開いていることになる。

もちろん、この間すべて涼子が店に出ているわけではない。

朝食は定食できまっているので、早番の者にまかせ、昼食のはじまるころから店に出かける。といっても、午前や午後のあき時間に、呆んやり休んでいるわけにいかない。店全体の監督から会計を見て、ときには従業員と一緒に料理を運ぶ。さらに空いている時間には銀行まわりや、お得意さまのところへ挨拶にも行く。一人で気楽なようで、責任者ともなると、気の休まるときがない。

しかし東京の店をまかせられたときから、涼子はやる気でいた。

東京へきたのは、物見遊山でなく、仕事をするためである。

「やっぱり、大女将（菊乃）がいなくなって、東京の店は駄目になってしまった」とだけは、いわれたくない。それは涼子の願いであり、意地でもあった。

幸い、母から引き継いでからの一カ月は、売り上げも順調であった。

もっとも、この一カ月はとくにメニューを変えたり、従業員に変動があったわけではない。以前の、母親が敷いたレールの上を走ったにすぎない。くわえて二月の受験期ということもあって、ホテルの泊まり客も多かった。涼子の手柄というより、いままでのやり方を踏襲してきただけである。

それでも、一カ月間、女将がわりをやってみて、涼子は少し自信がついてきた。

初めは不安だった料理長や店長との仲もしっくりいっているし、従業員もみな従いてきてくれる。「これで大丈夫」というわけではないが、「なんとか、やれそう」という程度の目安はついてきた。

それより、涼子が気懸かりなのは、遊佐との仲である。この一カ月、遊佐からは何度か電話がきた。いずれも仕事の様子をたずねたあと、二人で逢おうという誘いであった。

だが、涼子はすべて断ってきた。

平日は仕事で忙しいことを口実にし、週末は二度ほど、衣類などをとりに京都に帰って留守にした。

せっかく東京に出てきたのに、ゆっくり逢えなくて、遊佐は苛立っているようである。「これでは、君が東京に出てきた意味がない」といい、「最近の君の気持はわからない」と嘆いてもいる。

だが涼子はしばらく、遊佐には逢わぬつもりでいた。一カ月と、きっかり決めたわけではないが、当分逢うことは避ける。それは、遊佐と逢うとどこまでも甘えそうな自分を、締めつけるためのけじめである。東京へきてすぐ遊佐と逢瀬を重ねたのでは、ただ遊ぶためにきたことになってしまう。

涼子がそう考えた気持の裏には、母の菊乃への気づかいもある。

母は遊佐を好きなのに、自ら身を退く形で、京都へ戻ってしまった。それでは、そのかわりにきた自分が、東京へ出てくる早々、遊佐に逢ったのでは身勝手すぎる。それでは、母の不在をいいことに忍びこんできた、泥棒猫のようなものである。

たとえ結果として、母の恋人を奪ったとしても、そのあたりの筋だけは通したい。

いま一つ、涼子が遊佐に逢う気になれなかったのは、母を交えて三人で食事をした夜の、遊佐の行動に不審を抱いたからである。

その夜、涼子は食事が終わると、二人と別れて新宿へ向かった。友達に会う約束があったためだが、同時に、今夜くらい、母と遊佐を二人にしてあげたいと思ったからである。

それは娘としての、母への思いやりであるとともに、心の余裕の表れでもあった。

とやかくいっても、遊佐は母より自分のほうを愛している。その自信があったから、二人だけにしてやったともいえる。

だがそれは少し遊びが過ぎたのかもしれない。横浜で、二人は再び結ばれたようである。

むろんそのことに、たしかな証拠があるわけではない。

だが深夜、二時近くに帰ってきた母は、どこか様子が違っていた。髪は別れたときのままきちんと結ってあるし、着物も乱れた様子はない。態度も落ち着いて、待っていた涼子に、

「あら、起きていたのね」と声をかけた。

表面はなんの変化もないが、顔の表情や躰の動きが、どこか艶めいて気倦げであった。

「どこへ、行ってきはったの」

涼子が尋ねると、母はあっさりと答えた。

「横浜へ、遊佐さんに連れていってもろうたんえ」

その先を涼子はさらに尋ねたかったが、そこまで踏みこんではいけないような気がして黙った。

むろん母もいわないから推測にすぎないが、二人のあいだで、なにかがあったことはたしからしい。

しかしたとえ、母が再び遊佐と親しくなったとしても、母を責めるわけにはいかない。

もともと、母は遊佐を好きだったし、二人が深い関係にあったことは、まぎれもない事実である。そのこと自体に、涼子が口出しする権利はない。

それより、許せないのは、遊佐のほうである。

たしかに、彼はかつて母と親しかったが、いまは自分と深いつながりのある男である。現にこの前も、遊佐は涼子の耳元で、「愛している」とつぶやき、「君が一番好きだ」と囁いた。

その遊佐が、母を抱いたとしたら、あきらかな裏切りである。

母の気倦げなものごしを見た瞬間、涼子は脳天を打たれたような気がした。あるいはと思っていたことを、現実に見てたじろいだ。

怒りのあまり、涼子は遊佐が不潔で、信用できぬ男に思われた。

「あの人とは、しばらく口もきくまい」

涼子の態度の変化を、遊佐はすぐ察したようである。

「どうしたの？」と電話で何度も尋ね、「なにか気にさわったことでもあるのなら、いってくれ」ともいった。

「それは、あなた自身にきいたほうがよろしいです」

電話なので表情は見えなかったが、遊佐は狼狽したようである。

「君は誤解をしている。あの夜はたしかにお母さんと遅くまで飲んだが、それだけだ」

遊佐は弁解したが、涼子は黙っていた。

「違う、それだけは誤解しないでくれ」

遊佐はさらに何度もくり返し、最後には「俺を信じてくれ」と、哀願に似た声までだした。

涼子はそれをききながら、遊佐ほどの男が、それほど真剣に訴えることが不思議であった。

これでは悪いことをしていながら、「していない」といい張る子供みたいなものである。

その図々しさに呆れながら、その真剣さが少し可笑しくもあった。

「よく説明したいから、ぜひ逢って欲しい」

遊佐の切羽つまった声をききながら、涼子は軽い快感を覚えてもいた。

大の男が慌てふためいているのも小気味いいが、母と自分と、二人の愛を独り占めしようとした男に、これで復讐できたような気もする。

「うんと苦しむといい。それ以上に、うち達は、あなたに苦しめられたんやから」

涼子はそんな台詞を、心のなかでつぶやきながら電話を切った。

だが遊佐は不安なのか、さらに電話をかけてきた。最後には、電話では埒があかないと思ったのか、店までやってきたが、涼子は仕事が忙しいのを口実に、二人だけで逢わなかった。

遊佐は溜め息をついたが、いま遊佐と二人だけで逢ったら、さまざまな怨みごとをいいそうである。いまここで男の不実をなじったのでは、ただ嫉妬で意地悪をしているだけの女になる。

逢わないのは、嫉妬のためでなく、仕事が忙しいからである。そして自分は男を愛しても、母のように溺れて病気になったりはしない。

「母とは違う」ということをはっきりさせるためにも、しばらく逢わないほうが得策である。

自分でそう考え、実行していながら、涼子は自分の冷ややかさに呆れた。

もう少し稚なく脆いと思っていた自分が、意外に健気でしっかりしている。

しばらくのあいだ、涼子はそんな自分に納得していたが、そのうち、意地を張り続けることに少し疲れてきた。

とやかくいっても、なお遊佐を愛していることはたしかである。いままで我を張って、逢おうとしなかったことが、まさしくその証拠でもある。

それに、何度もかけてくる電話で、遊佐へのお灸は大分きいたようだし、彼の誠意もわかってきた。

もしかすると横浜の一夜は、男がよくいう、気まぐれだったのかもしれない。

そう思うにつれて、涼子の気持も落ち着いてきた。

そろそろ、逢ってあげてもいいかもしれない……。

一カ月の空白は、東京での仕事を覚えるためにも、涼子の自尊心を恢復するためにも、必要な期間であったといえそうである。

遊佐と逢う約束をした日は土曜日であったが、夕方になって急に客が入ってきた。

涼子は九時に店を出るつもりであったが、客が多くて出そびれて、九時半に同じホテルの十八階のラウンジバーに行った。

「ようやく、きてくれた」

遊佐は逢うなり、カウンターの下で涼子の手を握った。

「今日も、駄目かと思った」

「そんなん、うちは約束を破ったことはあらしません」

「しかし、いままでずっと断られた」

「お逢いできません、というただけで、約束を破ったわけではありません」

涼子は握られたままの手を、そっとひいた。

幸い今日は洋服だが、同じホテルのバーだけに、どこで知っている人に会うかしれない。あたりを見廻(みまわ)していると、遊佐は素早く察して立ち上がった。

「べつのところへ、行こう」

そのまま表に待たせてあった車で、赤坂のバーへ行く。

一見、普通のマンションの感じだが、入り口にモデルのような長身の女性がいて奥の部屋に案内してくれる。照明が暗くてよくわからないが、厚い絨毯(じゅうたん)の先に小さな明かりのついたテーブルがあり、やわらかなソファがある。

「ここなら、誰にも見つからない」

遊佐がいうとおり、なにか秘密めいた感じである。

「会員制のバーでね、何時まででもやっている」

改めてあたりを見廻すと、テーブルの明かりのまわりに人影があり、話し声もきこえるが
お互いの顔はほとんど見えない。

「いったん入ったら、容易なことでは出られないぞ」

「ここに、いろいろな方を連れてきて、口説かはるのでしょう」

「馬鹿なことをいうのはよせ、それより、いままでどうして逢ってくれなかったんだ」

遊佐は急にヤクザっぽい口調で尋ねる。

「何度もいうたように、お仕事が忙しかったんです」

涼子は酔わぬように、ジュースにした。

「いくら忙しくても、逢う気になれば逢えるはずだ。こちらが逢いたがっているのを承知で、
男をじらせるとは悪い奴だ」

遊佐がぽんと涼子の肩を叩く。その一撃で、涼子の気持はほぐれていく。

「そんな、じらしたわけやありません、それより、悪いのはそちらです」

「俺のどこが悪い、悪いところがあったらはっきりいってくれ」

「そんなこと、ご自分にきいてみたらよろしいです」

「まだ、そんなことをいっている」

遊佐はうんざりした、というように水割りを飲む。

「とにかく、君が考えているほど、重大なことではないんだ」

「なにがです?」

「この前の夜のことを、まだ疑っているんだろう」

「そんなこと、うちはもう、なんにも気にしてません」

「それならいいんだが、とにかく乾杯しよう」

小さな明かりの中につき出された遊佐のグラスに、涼子は自分のグラスを近づける。

「今度だけは、君の気の強いのに参った、降参だ」

「口だけ降参しても、信じられません」

「わかった」

頭を下げる遊佐を見て、涼子はこの一カ月で、自分がにわかに大人になったような気がしてきた。

「うちはこのごろ、あなたの考えていることが大体わかります」

「そのことはもういい、ところで来週、金沢へ行かないか」

突然なので涼子が黙っていると、遊佐が顔を近づけた。

「実は金沢にある書店に挨拶にいく用事がある。それは一時間もあればすむから、あとは二人で能登でも一周しよう。能登は行ったことがある?」

「まだです……」

以前から、涼子は行ってみたいと思いながら、機会がなかった。

「じゃあ、行こう、朝、東京を発(た)てば、一泊で帰ってこられる。冬の能登路はなかなか風情(ふぜい)がある。日本海に降る雪もいいし、久しぶりにゆっくり温泉にもつかりたい」

「けど……」

泊まりがけの旅に出たら、いずれ母に知れてしまう。

「もう、子供ではないんだろう」

遊佐は簡単にいうが、母をこれ以上悲しませたくはない。

「思いきって行こう」

スローの音楽に合わせたように、突然、向かいの黒い影が寄りそったまま動かなくなる。そのまま見ていると、やがて小さな含み笑いとともに影が離れる。闇(やみ)に乗じて、向かいの客が接吻(せっぷん)をしたらしい。

「いいだろう」

「………」

「仲直りの、旅をしよう」

遊佐の囁きを耳元でききながら、涼子は闇のなかでかすかにうなずいた。

朝、遊佐は羽田の小松行きのカウンターの前に立ちながら、これと同じ情景が前にもあったことを思い出した。

涼子と初めて一緒に秋田へ行ったときも、朝早く、カウンターの前に立っていたが、それからほぼ十カ月近い月日が経っている。そのときもいまと同じく、涼子が来るかと気をもんでいた。

もっとも、去年と較べると、いまは大分落ち着いている。

来ると約束した以上、来ないわけはないし、いまさら約束を破るような、子供じみたことはしないだろう。その程度の自信はあるが、横浜での一件があったあとだから、多少、不安ではある。

遊佐は自らを落ち着かせるように煙草に火をつけ、半ばほど喫いかけたとき、ロビーのガラスのドアをおして涼子が現れた。

遊佐は思わず人々の頭ごしに片手を挙げ、こちらだというように手招きした。

「お早うございます。早かったんですね」

「寝坊をするんじゃないかと、心配した」

「目覚まし時計を三つおいてありますから、大丈夫です」

涼子は黒いスカートに濃い茶のミンクのハーフコートを着て、旅行鞄とハンドバッグを持っている。

「荷物を預ける？」

「たいしたことありませんから、持っていきます」

遊佐も旅行鞄を持っているが、そのまま搭乗手続きを終えて、第二待合室に入る。

出発まで少し時間があるので、二人はスタンドの前でコーヒーを飲んだ。

「秋田に行ってから、もうそろそろ一年になる」

「わたしもここへ来るとき、そのことを思い出していました」

「あのときは、来ないのではないかと心配した」

「今日は、心配しはらへんかったんですか？」

涼子は軽く笑いながらいった。

「本当は、今日のほうが迷ったのです、あのときは、まだなにもわかりませんでしたから」

涼子は冗談めかしていっているが、意外にそれが本音なのかもしれない。初めのときは、ただ好奇心だけで来たが、いまは母のことや仕事のことなど、考えることは多いのかもしれない。

「いろいろわかればわかるほど、人間は臆病になるでしょう」

涼子には涼子なりの迷いがあったようだが、いまの遊佐としては、来てくれさえすればいい。

飛行機が小松に着いたときは晴れて、冬の北陸へきた感じはあまりなかった。

空港から乗ったタクシーの運転手も「こんな雪の少ない年は珍しいです」という。

東京でも、二月の初めに軽い寒波が訪れただけで、気象台はじまって以来の暖冬らしい。

「せっかく、ここまで来たんだから、雪を見たいわ」

涼子の願いが通じたのか、金沢市内を抜けて能登への有料道路に入ったころから風が強くなり、雪がちらついてきた。

予定ではこのまま真っ直ぐ輪島まで行き、そこで一休みしてから南へ下り、穴水を経て七尾湾に面した和倉温泉に泊まることになっている。

「このあたりは、夏は海水浴場です」

運転手が説明してくれるが、松林の切れ間から見える海は暗く、白い逆波が何重にも立っている。

その荒れ狂う海からは、真夏の明るい海水浴風景はとても想像できない。

高松を過ぎ、羽咋の海岸に近づくにつれて、風はさらに強まり、横なぐりの吹雪となる。

だが上空にはさまざまな雲が去来するらしく、遊佐達が走っているところは吹雪いているが、少し後方の海上にはべつの黒雲が流れ、さらにその彼方は雲が切れて陽が射している。

「吹雪と晴れが同居している」

「やっぱり、冬の日本海は怖いわ」

涼子は荒れる海を見たまま、身を竦める。

しかし車のなかは暖房がきいて、寒風吹きすさぶ外とは別世界である。

遊佐は冬の海を見ながら、涼子が菊乃になんといって出てきたのか、気になった。秋田に行ったときは、秋田にいる友達のところへ行くといって出てきたらしいが、それが結果として、菊乃の疑惑を招くことになったようである。

今度はどうなのか……。

だが、遊佐はまだきく気になれない。運転手の手前もあるが、いまそれをきいては、せっかくの旅の楽しみをこわしそうである。

車は海岸線を離れて、山峡の道に入ったようである。有料道路だが、この道ができたおかげで、金沢から輪島は、二時間で行けるようになったという。道は半島の中央を縦断しているらしいが、道幅は広く行き交う車もあまりない。

空は相変わらず荒れ模様で、激しく雪が吹きつけるかと思うと、突然青空が現れ、晴れたと思うとまた雪になる。

「猫の目のように、天気が変わる」

「これが、北陸の天気の特徴です」

運転手の説明をきいて、涼子が囁く。

「まるで、男の人のようね」

遊佐が振り向くと、涼子は素知らぬふうに外を見ている。

遊佐は苦笑をして腕を組んだ。涼子はまだ、横浜の夜のことに拘泥っているようである。その後、一晩ゆっくり逢って説明し、納得してくれたと思っていたが、そう簡単にはいかないようである。もっとも文句をいっても、以前のように真面目一筋でなく、やんわり冗談めかしていう。このあたりは、この一年間で成長したところでもある。

道は相変わらず山峡を縫いながら、ときどき吹雪に見舞われ、数分も行くとまた晴れてくる。左右の山並みはさほど高くはないが、山を分けてすすんでいく。

「こんなところにも、人々が住んでいるのですね」

「能登は古い土地だから」

山峡の平地に置き忘れたように、数軒の家が寄り添っている。まわりの山肌には雪が斑に残り、家を取り巻く樹々は雪水を浴びて濡れている。

「平家の落人は、京を逃れて、このあたりまできたらしい」

「ここまできはったら、見つかる心配はなかったでしょうね」

「しかし一生ここから出られなかった」

「わたし達には、無理ね」

たしかに此処で一生棲め、といわれたら、遊佐も考えてしまうかもしれない。

「分け入っても、分け入っても、青い山」

山頭火の句を思い出して遊佐がつぶやくと、涼子が続けた。

「分け入っても、分け入っても、白い雪」

声に誘われたように、また雪が降りだし、車のワイパーが忙しげに廻りはじめる。

遊佐は雪の吹きつける窓を見ながら、一瞬、京都にいる菊乃を思った。

輪島に着いたのは一時を過ぎていた。二人はそこの駅に近い小料理屋で遅い昼食をとった。

観光ブームとはいえ、さすがに二月の末にくる客は少ないらしく、愛想のいい主人が活きのいい刺し身をたっぷり出してくれる。

それを肴に酒を飲むうちに遊佐は少し酔い、その勢いできいてみた。

「今日は、京都には、なんていってきたの？」

お母さんとはいわず、京都といったが、涼子はすぐわかったようである。

「なにも、いうてません」

「しかし……」

「気にならはりますか？」

「いや、そんなことはないが……」

遊佐が盃を干すと、涼子が銚子を持って注ぐ。

前屈みになったとき、襟口から白い胸のふくらみとブラジャーの端が見えて、遊佐は戸惑った。

「このまま、ここに泊まろうか」

冗談めかしていうと、涼子は呆れた、といった顔をする。

「こんな早くから泊まって、どうしはるんですか」

「君を欲しい……」

遊佐がつぶやくと、涼子がぷいと横を向いた。

一時間ほど休んで外に出ると、また雪が降りはじめている。しかし、気温はさほど低くないらしく、積もる気配はない。

「それでは、ここから真っ直ぐ和倉へ向かいます」

運転手がいうのにうなずきながら、遊佐は軽い眠気を覚えた。

シートに背を凭せ、そろそろと腕を伸ばすと、涼子の手に触れる。そのままの姿勢で、遊佐は菊乃のことを考えた。

横浜で逢って以来、菊乃とは一度、京都で逢っただけである。

それも、みなと一緒の座敷で顔を合わせただけで、二人で逢うことはできなかった。

菊乃は、いつもと変わらぬ柔和な笑いをたたえていたが、それは商売上で、心はやはり閉ざされていたようである。

そのあと東京へ戻ってから電話をしても、時候見舞いや当たりさわりのない会話を交わすだけで、微妙な話になると逃げてしまう。

横浜の一夜で、最後にしようといったのは、やはり本気だったのかもしれない。

とりとめもなく考えながら、ふと横を見ると、涼子が窓ぎわに頭を寄せて眠っている。朝が早かったうえに少し飲んだ酒がきいたのかもしれない。

遊佐は無防備な涼子の手を自分のほうに引いた。

白くしなやかな指である。まだ皺もしみもないが、淫らなことは少し覚えはじめている。

遊佐はその指の温もりを楽しんでから、涼子の顔をうかがった。

一年前、堅く引き締まっていた少女の顔が、いまはふくよかな女の匂いを漂わせている。だが躰が成熟した分だけ、涼子の女の勘も冴えてきたようである。

横浜の夜について、遊佐は終始、否定し続けたが、涼子はなお疑っているようである。どう弁明しても、素直にうなずかない。

それでも、遊佐が口を割らなかったのは、疑いながらもどこかに、そうであって欲しくないという心の動きが見えたからである。

涼子が、母と結ばれて欲しくないと願っている以上、結ばれたといわぬのが、男の努めでもある。

もっとも、こんなことが涼子に知れたら、卑劣な嘘つきだと、たちまち罵られてしまう。

しかしどうせ嘘をつくなら、最後まで嘘をつきとおしたほうがいい。

遊佐がこんなふうに考えるのは、中年の図々しさもあるが、同時に横浜での菊乃との一夜を、それほど重大に思っていないからでもある。

とやかくいっても、いま涼子を愛していることに変わりはない。菊乃も涼子もともに好きではあるが、未練という点では、圧倒的に涼子のほうにある。

横浜で、遊佐はたしかに菊乃に惹かれ、欲しいと思ったが、それは一夜だけのことである。次の日には早くも涼子のことを愛しく思い、大切に思いはじめていた。むろんこれからもまた菊乃を欲しくなり、そのときはこらえ性もなく、菊乃に近づくかもしれない。

男と女は一人しか愛すべきではないというのを常識とすれば、これはあきらかに非常識で身勝手な願望である。

しかし男の欲望は、ときに集中しながら拡散する。一人の一つの美点をとれば、もう一人の、べつの美点も欲しくなる。涼子からは若さと初々しさを、菊乃からは成熟した女の豊かさと淫らさが欲しい。

もしかするとこの我儘は、男という性の永遠の矛盾かもしれない。男という性が一つのものに収斂せず、末広がりに広がっていく性であるのに、女は本質的に一点に収斂する。この差があるかぎり、男と女の誤解は消えない。

勝手な空想をするうちに、遊佐は眠り込んだらしい。

少し仮眠して目覚めると、相変わらず車は雪のなかを走り続けていた。

「お目覚めになりましたか」

涼子は横で気がついたらしい。

「ここは、どこかな」

「もう、和倉ですよ」

いわれて窓を覗(のぞ)くと、雪のあいだに青い海が広がっている。

「七尾湾です、静かでしょう」

海は湖面のように波がなく、雪の先に松で彩(いろど)られた島が見える。

「日本海とは、まったく違う」

眠る前に見た日本海を、荒れ狂う男とすると、目の前の海は眠り続ける美女かもしれない。一方は怒り、牙(きば)をむきだしているのに、こちらは絵のように動かない。

「でも、雪は同じ雪ですよ」

波のない海に雪が降っているのが、遊佐には不思議だった。

雪が降る以上は、海はもう少し荒れるか、波立っていそうなものである。だが目の前にある海は、油を流したように穏やかで、そこにゆっくりと雪が吸いこまれていく。

「まだ、降るのかな」

「さっきの天気予報では、今夜中、降るようなことをいうてました」

遊佐はうなずきながら、夜、涼子を抱いているときも、雪が降り続ける海を想像した。

金沢までは遊佐は何度も行っているが、能登まで足を延ばしたのは、今度が初めてである。むろん和倉温泉も初めてである。

あらかじめ知人にきいたり地図を見て、一度行ってみたいと思いながら、忙しさにまぎれてはたせずにいた。今度も、涼子と一緒でなければ行く気にならなかったかもしれない。

その意味では、涼子のおかげで来られたともいえる。

あらかじめ、遊佐が予約してあったのは、和倉に行ったことのある友人がすすめてくれたホテルだが、来てみると大きすぎていささか戸惑う。

冬の能登の宿、という印象からすると、もう少しこぢんまりと落ち着いた旅館を想像していたが、これでは熱海や伊東にあるホテルとあまり変わりない。

もっとも、最近は観光ブームで、どこも競ってビルにするので、昔の鄙びた宿を求めること自体、無理なのかもしれない。

入り口に大勢並んだ女中さん達の、「いらっしゃいませ」という大合唱に面食らってなかに入り、チェックインをする。

涼子と一緒だと、遊佐はつい年齢の差を思って緊張する。中年の男性と若い女性と、なにやらいわくあり気な二人連れとおもわれるのではないか。そんな気兼ねをしないで、ということになると、わけ知りの女将がひっそりとやっている旅館のほうが好ましい。

もっとも、そのあたりは遊佐の勝手な事情で、ホテルの責任ではない。

入るときはいささか気後れしたが、案内された部屋は広く、大きく開かれた窓いっぱいに海が広がっている。角部屋らしく、控室と応接室、その奥に寝室が続いている。

「さすがに、いい場所に建っている」

友人がこのホテルを推奨してくれたのは、階下の騒々しさはべつとして、この景観を見て欲しかったのかもしれない。

「むこうに、大きな橋が見えるわ」

涼子が窓に全身をはりつけるようにして指さす。

「あの向こうは能登島でしょう」

遊佐はその橋の写真を、どこかで見たような気がした。

「明日にでも行ってみよう」

「今夜は、もうやみませんね」

「この雪では、無理かもしれない」

遊佐は涼子の横に立ち、振り向かせた。

「ようやく、二人だけになれた」

そのまま抱き寄せようとすると、涼子が首をすくめた。

「見られるわ」

「大丈夫だ、これだけ雪が降っていたら、誰にも見えやしない」

大粒の雪がカーテンの役目をして、二人はゆっくりと長い接吻を交わした。

雪雲が厚いせいか、暮れかけるとすぐ夜がくる。

いったん内風呂に入ってくつろぐと、遊佐はもう部屋を出る気はなくなった。ホテルのなかには、和食と洋食のレストランがあるようだが、そこで人に会うのも気が重い。

部屋に食事を運んでもらうことにして、二人だけで食べたが、海に面しているだけに魚介類が豊富である。

ともにホテルの浴衣に着替え、羽織を重ねてテーブルに向かい合い、食事をしていると、なにやら同棲しているような気持になってくる。

料亭の娘らしく、涼子は上品な手つきで酒を注ぎ、料理の皿があくと端によけてくれる。

「少し、ぬるくありませんか」

酒の燗の具合も気になるようだが、遊佐は涼子と一つ部屋で食事ができるだけで満足である。

「君も、飲んだらいい」

「ここで飲んだら、酔うてしまいます」

「だから飲んで欲しいんだ」

涼子は酔うと、目元が赤らみ、少しお喋りになる。さらに酔うと目が潤んで、肩が崩れてくるが、そんな状態でベッドに誘いたい。

「あまり静かなので、降っているのを忘れていました」

思い出したように涼子が振り向くと、暗い窓に白い絣(かすり)模様のように雪が降り続いている。

「なにか、下からわいてくるような気がしませんか」

上空は風があるのか、区切られた窓だけ見ていると、雪が舞っているようである。

「ちょっと、電話をしてきても、よろしいですか」

涼子は立ち上がって寝室へ行く。食事をしている部屋にも電話はあるが、目の前で話すのは悪いと思ったのかもしれない。

遊佐が一人で夜の雪を見ながら盃を傾けていると、涼子が戻ってきた。

「東京は晴れているけど、とても寒いそうです」

店のことが気になって、電話をしてきたようである。

「君がこっちにきていること、店の人達は知っているの？」

「邦子さんにだけ、いうてきました」

邦子は東京の店のレジをしていて、涼子が一番信頼している女性である。

「いま、団体のお客さんが入って一杯のようです」

遊佐は改めて、涼子が東京の店の女将であることを思い出した。

「君もだんだん、女将業が身についてきた」

「そんなことあらしません。まだまだ子供で頼りない、いわれてます」

「でも、このごろは生き生きして顔色もよくなった。東京のほうが水が合うのかな」

「そんなんでなく、こちらのほうが気が楽なんです」

「あんな大きな店を任せられて、楽なのかねえ」

「そやかて、東京はうち一人です」

遊佐は涼子の盃に酒を注いだ。

「京都だって、一人だったろう」

「あちらはお客さまも古いお方が多いし、母がしょっちゅう帰らはって一緒でしたから」

「お母さんと一緒だと、気が張るのかね」

涼子はうなずくように軽く下を向いている。その傾けた首の形も菊乃とそっくりである。

「でも、親娘（おやこ）だろう」

「………」

「それでも、やっぱり駄目（だめ）なものかなあ」

「なんにも、知らはらへんのですね」

「なにを？」

「こんなこと、いいたくはありませんけど、やはり同じ仕事をして、一緒の家にいては難しいんです」

「同じ仕事だから、いいんじゃないのか」

涼子はきっぱりと、首を横に振った。

「お座敷で会うて、家でまた会うのでは二重に疲れます」

「じゃあ、喧嘩(けんか)をしたことも？」

「はっきり、表立ってはしゃしませんけど、心のなかでは……」

涼子がこんなことをいいだすのは初めてである。余程心にすえかねていたのか、それとも旅に出て気分が解放されたのか。

「たとえば、どういうこと？」

「いろいろあります」

「ちょっと、わからないな」

「二人でお店から十二時近くに帰ってきたときなど、母は、疲れたから、『お風呂にお湯を張って』いうて、そのままでしょう。しかも入るときには、お湯が熱いとかぬるいとかいうて……」

「そんなことは、たいしたことでないんじゃないか」

「たいしたことやないから、大変なんです」

菊乃と涼子は母一人子一人で、とやかくいってても仲がいいのだと思っていたが、実情は大分違うようである。

「そういう不満が高じてきた、というわけか？」

「もちろん、お母さんも大変やったと思います。あれでもずいぶんいいたいことを抑えて、我慢してはったと思います」

「じゃあ、君が東京に出てきたのは、よかったのだ」

「あれ以上、京都にいたら、うちは狂うて、一人で家を出たかもわからしません」

菊乃と涼子と、二人の関係がそこまで悪化していたとは思っていなかった。

「でも、親娘なのだから、喧嘩をしても知れているだろう」

「ただの喧嘩ではありません。母は母ですけど、それ以上に女ですから。女が二人、お座敷と家でぶつかっていては……」

涼子のいおうとしていることが、遊佐にも少しわかってきた。

「たしかに一般の親娘とは、少し違うかもしれないな」

「うちらは特別です、母は母であるとともに社長で、それに……」

「母とわたしは……」

涼子はそこで声を呑むと顔をそらした。

そのまま涼子はものをいわず、よく見ると、項垂れたまま唇を嚙み、肩が小刻みに震えている。

「どうしたの」

「もう、いやです……」

そういうと、涼子はいきなり両手で目をおおって泣き出した。

北の国では、ある日突然、狂ったように雪が降り続ける。降っても降っても雪は止(や)まず、空のどこかの留め金がはずれたかと思うほど雪が降る。

今夜の雪はそれに近い。海に面した窓からは、どれくらい降っているのか見当がつかないが、雪は相変わらず暗い窓をうずめている。

狂ったように降る雪を見ながら、遊佐は滑走路はもちろん、鉄道も国道も、道という道はすべて、閉ざされたような気がしてきた。

もはやどう足掻(あが)いても、東京へは戻れない……。

そう思うとともに、遊佐は次第に心が和み、落ち着いてきた。

ひたすら降る雪を見ていると、人と人との争いや反目など、小さなものに思えてくる。

遊佐の心の動きは、涼子にも微妙に伝わったようである。

しばらく泣いていた涼子も、立ち上がり、バスルームに消えた。

遊佐はフロントに電話をして、お膳(ぜん)を下げてもらった。

泣いた目を癒(いや)しているのか、涼子はなかなか出てこない。

遊佐は一人、ソファに坐(すわ)って、いまきいた涼子の言葉を思い返した。

これまで、涼子は自分の気持を、はっきり遊佐に告げたことはなかった。遊佐と深い関係になって、いろいろ思い悩んでいることは知っていたが、そのことでも具体的に相談されたことはない。

それに乗じて、というわけでもないが、涼子が意外にあっさりした性格なのだと思いこんでいた。

だが、いまの態度を見ると、涼子は涼子なりに、かなり苦しんできたようである。

なによりも驚いたのは、菊乃と一緒の生活に、涼子が疲れきっていたことである。そのまま一緒にいると、気が狂うところまで追い詰められていたとは考えていなかった。

そこまで涼子ははっきりいわなかったが、その原因が遊佐にあることは明白である。

涼子の涙を見て、遊佐は改めて、涼子の初々しさを知った。そんなろくでもない男に、なお従いてきてくれる女の一途さが愛しい。

初め、涼子を能登に誘ったとき、遊佐はただ、涼子の機嫌をとるだけのつもりでいた。冬の能登路にでも行けば、最近依怙地な涼子の気持もほぐれるかもしれない。

だがいま遊佐は、もうすこし深いところで涼子を知ったようである。

とりとめなく考えながら水割りを飲んでいると、涼子がバスルームから出てきた。

湯上がりで白い肌が上気しているが、涙のあとは消えている。

「少し、飲む？」

「それを、下さい」

涼子が遊佐のグラスを指さす。泣いたことを照れたように明るい仕種である。

遊佐がグラスを渡すと、涼子は一口飲んで窓を見た。

「本当に、よう降りますね」

「もう、レールも国道も、みんな閉じてしまったよ」

「ほな、東京へ戻れないんですか」

「明日にならなければわからないが、帰れなければ、このまま閉じこもっているよりない」

「じゃあ、行方不明ですね」

「困るだろう?」

「うちは、かましません」

あっさりいう涼子を、遊佐は引き寄せた。湯上がりのせいか、火照った肌に軽いシャンプーの匂いがする。遊佐はそれを感じながら、涼子の耳元に囁いた。

「好きだよ」

「…………」

「とっても、好きだよ」

雪の町に来たせいか、遊佐は自分が少し感傷的になっているのを感じた。

そのままベッドへ行き、室内灯を消して、枕の先のスモールランプだけにする。

菊乃は暗くしなければ脱がなかったが、涼子は小さな明かりなら気にしない。それも若さの強さかもしれない。

ベッドに横たわり、しばらく抱きしめてから、胸元を開いていく。

涼子は逆らわないが、といって積極的に応じるわけでもない。

充分、胸が開いたところで、遊佐は上体を起こして上から見下ろした。

淡い明かりのなかで、涼子の胸の肌は磨き抜かれたように白い。

遊佐は神々しいものでも見るように、しばらくそれを眺めてから乳房の先に唇を近づける。

「あっ……」

瞬間涼子がつぶやき、上体をひねる。

だがすでに開かれた胸は隠しようもない。

遊佐はしばらくその鋭敏な個所を弄んでから、浴衣の紐を解き、下半身に手を忍ばせる。

外見は頼りないのに、涼子の躰はやわらかく骨ばったところがない。それも母の菊乃と同じで、太腿もお臀にも、ほどよく肉がついている。

遊佐はその細いくせにすべすべした感触を楽しみながら、若い血の温もりを感じる。

ここまでくれば、もはや急ぐことはない。

明日の朝まで時間は充分あるし、雪も降り続けている。

遊佐はいま、あふれる愛を激しさでなく、優しさで表したくなっていた。荒々しい行為より、気怠げな愛撫で盛りあげていく。

　ゆっくりと緩慢な動作がかぎりなくつづく。それは夜の海に落ちていく雪のように、とどまるところがない。

　母の菊乃なら、とうに音をあげるところを、涼子はまだ耐えている。成熟と未熟の差が、ここでは積極さと慎ましやかさになって表れている。

　だがその慎ましやかさにも、おのずから限界はある。やがて眉に皺を寄せ、軽く口を開いたまま涼子が訴える。

「ねえ、……かんにん……」

　意地悪をしてかまわず愛撫を続けていると、夜の窓が光り、雷鳴が轟いた。

「怖い……」

　いままで快楽に浸っていたとも思えぬ敏捷さで涼子がしがみついてくる。

「雷だよ」

　そのまま抱き合った状態で、涼子がきいた。

「雪が降るのに、雷が落ちるのですか」

　遊佐も、雪の日にこんな大きな雷鳴をきいたのは初めてである。

　なお数回、名残のように雷の音がきこえてから、ようやく静けさが戻ってきた。

「もう、大丈夫だよ」

囁くが、涼子はなお不安げに遊佐にしがみついている。

その若い肌を抱きながら、遊佐は雪の夜の雷に、不吉な兆しを見たような気がして目を閉じた。

芸事はすべてある日突然、殻を破ったように上手くなるものらしい。ゴルフなどスポーツも同様で、あるときから急にスコアがまとまりだしてくる。日々練習しているのに、それにともなって上達せず、一定の練習が積み重なったとき、突然、階段をかけ上るように腕があがる。

奇妙なたとえだが、性の愉悦もそれに近いところがあるのかもしれない。

和倉での夜、涼子は初めて悦びのきわみを知ったようである。

むろんそれまでも、涼子は抱かれる度に悦びを表していた。控えめながら、その都度の躰の動きや口から洩れる言葉で、感じていることがわかった。だがそれは感じるというだけで、そこから一歩すすんで、達するというところまでは至っていない。悦びが悦びだけで終わっていたようである。

それが和倉では、突然あるきわみに達したように震え、そのまま力を失った。遊佐は一瞬、涼子が気を失い、息絶えたのかと思った。

だがそのあと、涼子は深く息を吸い、それからいま自分に襲ってきた感覚に怯えたように、遊佐にしがみついてきた。

どうやら、涼子は自分で自分の感覚に納得しかねているようである。

だが遊佐には、その戸惑いがまさしく、性の愉悦に達した証であることがわかる。

むろんそれはまだ初めてで、それが深まり、恒常的になってこそ、女の悦びは絶対的なものとなる。

しかしいま、涼子がそのきわみの一端にたどりついたことだけはたしかである。

それでも涼子はまだ、自分の変化を信じられぬように息を潜め、遊佐の胸にはりついている。

遊佐はそんな涼子を抱きながら、か細く頼りないこの躰にも、性のきわみが訪れたことを、ある感動とともに受けとめている。

いまだ稚なく未熟な女体を、男が愛していくのは、その女体が徐々に開発され、愉悦のきわみに達していくのを見届ける楽しみがあるからである。それは男の側からいえば、ただの奉仕にすぎないが、好きな女性をそこまでたどりつかせたということで、男は男なりの充足感を覚える。

だがそれにしても、何故今夜、涼子はそのきわみに達したのか……。

いまは深海の魚のように動きをとめた涼子を抱きながら、遊佐は考えてみる。

久しぶりに旅に出て、気持が解放されたことがきっかけになったのか。それとも能登の果てで雪に閉じこめられているという思いが、集中力をかきたてたのか。あるいは一カ月ぶりの愛撫が、新鮮な感覚を惹き起こしたのか。

　このあたりは、涼子にきいてもわからない。ましてや当の本人が驚き呆れているのだから、他人が推しはかるすべもない。

　だが、これほどの大きな変化があった以上、なんらかの原因があったに違いない。

　それを単純に考えれば、これまでほぼ一年にわたって涼子と愛を重ねてきた、その蓄積が、いまようやく実ったというべきかもしれない。芸事がそうであるように、練習の積み重ねが、ある日突然、一段上への飛翔を可能にする。その意味でこの一年は、今夜の飛翔への、助走であったのかもしれない。

　原因を考えだすといくつもある。いずれももっともなようで、少し違うようでもある。

　そのなかでやはり忘れられないのは、涼子が休む前に見せた涙である。

　今夜、涼子は珍しく、これまでの母との軋轢を自分から話し、最後には涙まで流した。それを全部いいきって、気分的にもずいぶん楽になったようである。涼子が正直に話す気になったのは、この一カ月で遊佐の愛が自分にあることを知ったからかもしれない。

「とやかくいっても、この人は母より自分を愛している」

　その一点を確認したことにより、涼子は自信を恢復し、旅に出る気になった。そしてそれが気持の余裕を与え、躰の悦びにつながったのかもしれない。

してみると、冬の能登路も、突然の雪に降りこめられた夜も、一カ月の疎遠(そえん)も、それなりに有効であったというべきかもしれない。

それにしても、女の躰は微妙である。ふとした気持のもちようで火のように燃え、ときにきわみに達し、ときに不満足に終わる。心のありようが、躰の反応に深く関(かか)わってくる。

「落ち着いた？」

遊佐は思い出したように、胸のなかにいる涼子に声をかける。

「よかった？」

少し露骨すぎるかと思ったが、涼子は素直にうなずく。

「すごい？」

「………」

今度は意味がよくわからなかったようである。

「すごく、よかった？」

もう一度きくと、涼子はいやいやをするように首を振り、それからすべすべした肌を遊佐におしつけてきた。

二人の旅は、夜の親しみ方によってさまざまに変わる。

夜、躰の上でも気持の上でも満たされたら、次の日はともに晴れやかで、上機嫌の旅が約束される。

しかし、満たされぬまま中途半端で終わったときには、次の日の旅はいま一つ盛り上がらないものになってしまう。

旅の良し悪しは風景ではなく、ともに行った相手との関係の良し悪しに関わってくる。どんな美しい風景を見て、感動的な自然に触れても、同行した相手やそこで知り合った人が不快であったら、旅は味気のないものになってしまう。反面、風景やホテルが多少悪くても、同行者との関係がうまくいけば、旅そのものも素敵になってくる。

今度の能登の旅は、その点ではまさに満点であった。

一夜明けると、部屋から見える七尾湾はくっきりと晴れ上がり、冬の陽を無数にはね返して、蒼く輝いている。いったい、昨夜の雪はどこに消えたのか、大雪を呑みこんで、海はなにごともなかったように静まり返っている。

それでも目を遠くに向けると、向かいに見える能登島の緑の松や岩場には雪が残り、昨夜の雪が夢ではなかったことが知れる。

「雪と海の青が綺麗やわ」

涼子も浴衣姿のまま眺めている。その円いお臀を見ているうちに遊佐は少し悪戯をしたくなる。

うしろからそっと近づき、浴衣の裾を持ち上げる。「きゃっ」と悲鳴をあげて、涼子がしやがみこむ。

一瞬、見えた白いふくらはぎが新鮮である。

「あきません……」

「どうして」

「もう九時よ」

たしかに戯(たわむ)れは、このあたりでやめたほうがいいかもしれない。

朝食は大食堂ですることになっているが、こんな眺めのいい部屋で食事をしないという手はない。

遊佐は電話で、朝食も部屋に運んでくれるように頼んだ。

女中達は当然、遊佐と涼子との関係を知っているようだが、それを表に出すことはない。

膳をおき、お湯の入ったポットをおくと、「それでは、お願いします」と、軽く涼子のほうに視線を向ける。菊乃ならそれに平然とうなずくが、涼子は落ち着かぬように隅(すみ)のほうで硬くなっている。

「あの人、わたし達をどう思っていやはるのかしら」

女中が去るのを待って、涼子がきく。

「べつに、気にすることはないよ」

「気になんかしていません。ただ、少し可笑(おか)しかったから」

意外に涼子があっさりしているので、遊佐は安堵する。

「昨夜の女中さんも、わたしに『奥様』といわはりました」

自分がいろいろなように見られるのを、涼子はむしろ楽しんでいるようである。

これも若さの特権なのか、それとも満ち足りた女の自信なのか。

昨夜はご飯をよそうときも、まだぎごちないところがあったが、今日はためらうところはない。

そのスムーズな仕種を見ていると、もう長いあいだ一緒に棲んでいるような錯覚にとらわれる。

「お茶を淹れましょう」

食事が終わると、涼子が遊佐の茶碗に茶を注ぐ。急須を近づけ、片手で蓋をおさえるとき、横向きになった首に陽が当たり白い筋が浮きでる。

「しかし、綺麗になった……」

遊佐がつぶやくと、涼子が振り向く。

「なにが、ですか？」

「君がさ」

「そんな……」

朝陽のなかで、涼子がやわらかな笑いを洩らす。

「急に、おかしいわ」

「しかし、本当に今日は綺麗に見えるんだ」

「ほな、昨日までは、綺麗でなかったんですか」

「そういう意味ではなく、昨日とべつの美しさになったということだ」

正直いって、今日の涼子はふくよかで、女の艶やかさが匂いたつようである。昨日までの涼子ももちろん綺麗だったが、今朝はそのうえに女の落ち着きがくわわったようである。

茶碗を差し出す涼子の顔を盗み見ながら、遊佐は昨夜、涼子がきわみに達したことを思い出した。

あの愉悦を知って、涼子はまた美しさを増したのではないか。

「いま、二十四だろう」

「そうですけど、どうかしやはりましたか」

「いや……」

遊佐はかすかに溜め息をつく。愛を重ねるうちに、涼子は次第に美しくなっていく。初めて結ばれたときも肌が艶やかになったように思ったが、今日はそのうえに、女の円やかさがくわわっている。

男に愛される度に、女は着実に美しく、匂いたっていく。

遊佐はふと、涼子が美しくなる分だけ、自分の精気が吸いとられていくような気がした。

現実には遊佐が求め、涼子という女体を操っているはずなのに、気がつくと、涼子のほうが艶やかさを増し、生き生きと輝いている。

「そうか……」

「なにを、一人でうなずいていはるんですか」

涼子がきくが、この女人に感じる不気味さは、男だけにしかわからない。

「もう、よろしいですか」

涼子は遊佐の思いなど知らぬ気に、てきぱきとお膳（ぜん）を片づけはじめる。

さすがに二月の末ともなると、雪は降っても長くはとどまらぬらしい。

とくに温泉のまわりは地熱が高いだけに雪はほとんど解けていたが、山峡（やまあい）に入ると雪が残り、それが陽をうけてシャーベット状になっている。

和倉から金沢まで、電車の便もあるが、本数が少ないので、遊佐は再び車で行くことにした。

「昨夜は、線路も道も、みんな閉ざされていると、いわはったでしょう」

「あの雪を見ると、たしかにそんな気がした」

「もう、あんな雪はこないのでしょうか」

涼子が尋ねると、運転手がかわりに答える。

「三月の初めまで、まだ二、三度は雪がきますが、もう積もることはありません」

残雪におおわれた山肌も、これからは日を追うごとに春めいてくるのであろう。

「でも、あのまま帰れなくなったら、どうしはりました」

「そんなことになったら、大変だろう」

「二人で行方不明になって……」

帰れなくなったら困ると思っていたのは、遊佐の思いすごしで、涼子はむしろ、大雪を楽しんでいたようである。

「暢気なやつだ……」

昨夜から今朝にかけて、涼子が京都に電話をした気配がないことが、遊佐には気懸かりであった。

もし、菊乃から東京のマンションに電話でもあったら、外泊していることが知れてしまう。

だが、涼子はけろりとしている。

秋田へ行ったときは、もっと怯えていたが、いまはもう大丈夫なのか、それとも菊乃がなんといおうとかまわないというわけか。

車は山道のあいだはチェーンをつけていたが、平野部に出てからははずして、さらにスピードを増した。このあと金沢に着き次第、遊佐は中心部にある書店に行き、涼子はその間、兼六園を見物することになっている。

「二時に、グランドホテルのロビーで落ち合おう」

その時間に会えば、三時半の飛行機に間に合って、四時半には東京へ着く。そこから涼子はマンションへ行き、着替えて店に出れば、一日だけ休んだことになる。

「今度は、もう少しゆっくりきたいな」

遊佐がいうと、涼子もうなずく。

「しかし、君は難しいだろう」

「もう少し、待って下さい」

「もう少し？」

「そのうち、わたしもゆっくり出られるようにします」

遊佐は驚いて、涼子を見た。はたしてそんなことができるのか。二日も三日も、店をあけて出歩いていることが知れたら、菊乃になんといわれるのか。

だが相変わらず、涼子は怯える気配もなく真っ直ぐ前を見ている。

「そんなことして、店は大丈夫かね」

「ホテルにあるお店ですから、わたしがいてもいなくても、あまり関係がないのです。それに、少し休まなければ躰がもちません」

涼子のいうことはもっともである。遊佐がうなずくと、涼子がさらに続けた。

「今度また桜が咲いたら、連れてってくれはりますか」

「もちろん、今度はどこに行こうか」

「少し暖かいところが、いいなあ」

「満開の桜を見に行こう」

「去年のように、狂ったように咲いたのを、ですか……」

涼子の言葉をききながら、遊佐は桜が満開の夜に、涼子が全裸になる情景を頭に描いてみた。

春立つ

　春の陽が部屋一杯にあふれている。やわらかく包みこむような光の粒子が瞼の裏で乱舞する。

　春の日の朝、涼子は部屋の真ん中で着物を広げてみる。

　昨日、京都の母から送られてきたもので、淡いパールピンクの地に桜花が散っている。花は左の肩口から胸元を経て裾全体へ斜めに咲きこぼれている。

　五年くらい前だったか、涼子は母がその着物を着ているのを見たことがある。

　表の色だけ見ているとさほど派手ではないが、それを着て立つと全身に桜が匂いたつ。

　母が着ているのを見て、涼子は、枝垂れ桜のようだと思った記憶がある。

　毎年、桜の季節になると、母は一度はその着物を着ていたが、この数年、着たのを見たことがない。

なぜ着ないのか、涼子は不思議に思いながらききかねていたが、派手すぎるのを気にしていたようである。

着物と一緒に添えられていた母の手紙から、涼子はそのことを知った。

お店のほう頑張っているようですね。ご苦労さま。

そろそろ春も近づいたので、着物を送ります。覚えがあるかもしれませんが、桜の季節に着ていたものです。お母さんも気に入っていたのですが、少し派手すぎて、あなたが着たほうがひき立つと思います。帯は一緒に送った藤紫の袋帯がいいかと思いますが、桜色のものでも似合うかもしれません。

四月の初めに、お店の年度末の経理のことで、二、三日、東京へ行きます。ちょうど桜の季節ですから、あなたがこの着物を着たところを、見られると思います。

母より

涼子さま

これまでも、母は何枚か着物を呉れたことがある。いずれも若いときに着ていたもので、中古ではあるがかなり高価なものも含まれていた。

全部で十枚はもらったが、衣裳もちの母からすると、ごく一部にすぎない。

初めのうちこそ涼子は嬉しかったが、最近はあまり母のものを着ない。地も柄も悪くはないのだが、母の着物を着ていると、いつまでも母に縛られているような気がして敬遠したのである。

涼子の微妙な気持の変化に母も気がついたのか、去年の夏からは一枚ももらっていない。そんな矢先だけに意外であった。

着ないものをただ箪笥にしまいこんでおいても無駄だと思ったのか、それとも他の理由でもあるのか。ともかくこれだけ見事な桜模様の着物は珍しい。

「今度は、うちが大切に着てあげますからね」

涼子は着物につぶやいて、洋服の上に着てみる。

涼子と母は体型はほとんど変わらない。身長で母のほうがわずかに高いが、最近、母は少し痩せて、ともにすらりとしている。

「どうえ？」

鏡に映して横から見ると、肩から裾にこぼれる桜がいっそうきわ立つ。

以前、桜の着物を着ている母を見ながら、こんな着物が似合う年齢に早くなりたいと思ったことがあった。桜の柄は派手なようで、そのなかに秘めた艶やかさがある。

桜の着物が似合うのは、まだまだ先のことだと思っていた。

だがいま着てみると、さほど違和感はない。自分でいうのも可笑しいが、真珠色の地に散るピンクの桜は華やかで顔の肌とよく調和している。

「よう、似合うやろ」

どうやらようやく、桜の着物を着こなせる年齢になったようである。

「四月になったら、これを着てお店に出よう」

桜の着物が似合うようになりたいと思ったのは、つい数年前のことだった。

「あれから、どこが変わったのか……」

鏡を見るかぎりではどこも変わったとは思えない。身長も体重もこの二、三年は同じである。

しかし最近よくいろいろな人に、変わったといわれる。一昨日、一年ぶりに会った京都の客はしげしげと涼子を見て、「あんた、京都の『たつむら』の娘さんやろ」とたしかめたうえ、「えろうきれいになって、色っぽうならはったなあ」とこちらが恥ずかしくなるほど見詰められた。

さらに店の客のなかには、「きれいになって、誰か好きな人がいるんだろう」と無遠慮にきく人もいる。もし好きな人ができて美しくなるものなら、遊佐のおかげといわなければならない。

正直いってこれまで、涼子は自分が男性によって変わるなどとは思っていなかった。そんなことは、男が勝手にいっているつくり話なのだと思いこんでいた。

だがいま鏡のなかの自分を見ると、満更嘘(うそ)ともいいきれない。

たしかに遊佐を知ったことによって、涼子の躰は変わったようである。

もっとも、それは躰の内面だけのことで、急に目鼻立ちが変わるわけではない。

自分が気づかぬうちに、躰の内側から女の妖しさのようなものが滲み出て、それが人々の目を惹くのかもしれない。

涼子はさらに鏡の前でうしろ向きになり一廻転する。

鏡はときに、女性をナルシスティックな気持にひたらせる。鏡に映る自分を眺め、見詰めているうちに、涼子の想像は次第に広がり、花園にでも遊んでいるような気分になる。

「いまが女の盛りや……」

客がそういってくれたが、その涼子にもかすかな不安がある。

涼子が自分の躰の変調に気がついたのは、いまから十日ほど前である。

それまで、涼子の躰はきわめて順調で、毎月、ほぼ規則正しく生理が訪れた。

だが予定の日はおろか、三月も半ばを過ぎ、末が近づいても、その兆しがない。

いままでも二、三日はずれることがあったが、十日以上も遅れたのは初めてである。

涼子は改めて、これまでの遊佐と逢った日を考えてみた。

東京へ涼子が出てきたのは一月末で、母と一緒に顧客の挨拶廻りをした。

もちろんそのとき、遊佐とも逢った。

しかし遊佐は母の菊乃と二人で横浜へ行き、母の帰りが遅かったことから疑問を抱き、そのまま遊佐とは接していない。

　ようやく遊佐を許す気になって能登へ行ったのは、その一カ月あとである。

　それ以前、一月中に涼子は遊佐と二度ほど逢っている。いずれも遊佐が京都まできてくれてホテルで逢ったが、そのときでないことは月日の関係からもたしかである。

　とすると、あとは能登に行ったときしかない。

　涼子はさらに正確に、日を追ってみた。

　正しくいえば、今月は八日前後が予定の日であったから、すでに二週間ほど遅れていることになる。

　このままいけば、妊娠ということになるのかもしれないが、涼子にはまだその実感がわいてこない。

　はたして、自分が本当に妊娠などするだろうか……。

　正直いってこの数日、涼子はそのことを考え続けてきた。

　たしかに遊佐の愛を受けているのだから、妊娠しないという理由はない。

　しかしどういうわけか、涼子は自分がそんなことにはならないように思いこんでいた。妊娠といっても、遠い絵空ごとだと思っていた。

　その理由の一つは、遊佐にすべてを任せておけばいいという安心感があったからである。

　実際、遊佐は初めから「大丈夫だから、なにも心配しなくていい」と教えてくれた。

「もしかして……」と思わぬわけでもなかったが、はるか年上の男性がそういってくれるのだから、大丈夫なのだと思いこんでいた。

いま考えてみても、遊佐は困ったことにならぬよう、いろいろ気をつかってくれたようである。

ときには冷静に自らをおさえ、雰囲気がくずれぬ範囲で涼子の体調を尋ねたりもした。それに答え、あとは任せるだけで心配はないのだと思いこんでいた。

事実、この一年は、それでなにごともなく過ぎてきた。

そのせいというわけでもないが、能登へ行ったときも、安心しきっていた。

それを不注意といわれたらそのとおりだが、旅に出てまで安全をたしかめるような殺風景な質問はしたくなかった。

「しかし、本当に……」

涼子はゆっくりお腹のまわりに触れてみるが、大きくなったという感じはない。

もっとも本を読んだかぎりでは、これくらいの月日でお腹が変わることはないらしい。それより頰のあたりが、少しこけたような気がしないでもない。

しかし涼子はもともと色白だし、このところ食欲がなかったから、多少頰のこけて見えるのは仕方がない。

「大丈夫え」

鏡のなかの自分にいいきかせるが、たしかな自信はない。

この数日、不安になる度に、涼子は遊佐に打ち明けようかと考えた。たとえ妊娠したとしても、彼にいっておきさえすれば安心である。彼なら大人だから、うまい方法を考えてくれそうである。

だがうっかりいって、あとでなんでもないことがわかったら恥ずかしい。

「やっぱり、君は子供だ……」と笑われそうである。

慌てず、もうしばらく自分の気持のなかだけにおさめておこう。

涼子がそんなふうに思ったのは、妊娠の不安に怯えながら、その事実に少し憧れを抱いているからでもある。たしかにそれが事実なら困るが、いましばらくその神秘な感覚のなかに閉じこもっていたい。

こういう事実は、他人に打ち明けたときからたちまち現実のものとなり、お金や病院といった殺風景なことがらのなかに埋もれてしまう。

不安でありながら、涼子はその不安のなかに、ある神聖なものを感じていた。自然の摂理というか、なにか得体の知れないものが自分に宿りつつあるのかもしれない。

おかげで昨日、遊佐から電話があったときも、涼子はそのことを告げなかった。遅くにでも遊佐は逢いたいといったが、涼子は仕事にかこつけて断った。

心細くて逢いたいのはやまやまだが、逢うと甘えて不安のすべてを吐き出しそうである。

なにも気づかぬ遊佐は、電話で四月の旅のことを話していた。今度は四国のほうから順に桜を追ってみようともいっていた。

「旅に出たら余計なことを考えなくてすむし、君も安心して燃えられるだろう」

話しながら、遊佐が能登の夜のことを思い出していることはあきらかであった。

たしかにその夜、涼子ははじめて自分を見失い、宙に浮いたような感覚を味わった。

そんな自分を、涼子はあとで恥じたが、遊佐はおおいに満足したようである。

「すごく、よかった？」

遊佐は最後にそんなことまできいた。

もし能登の夜が問題だとしたら、最も乱れたときに妊娠したことになる。

涼子が遊佐に告げるのを戸惑ったのは、その恥ずかしさもある。

悦び（よろこび）のきわみに達したときに妊娠したとしたら、誰も責められない。享楽（きょうらく）の果てに地獄を見るように、それは自然の掟（おきて）なのかもしれない。

「もう四日……」

涼子は壁にある暦を見ながらつぶやく。あと四日経（た）って変わりがなければ、ちょうど二十日遅れたことになる。

「そうなったら、あの人にはっきり話そう」

だがそのときは、すでに三月も終わりで、それから二週間もせずに母がくる。

「もしそのとき、妊娠していたらどうするのか……」

そこまで考えて、涼子は再び暗い気持にとらわれた。

母のことだから、娘の躰の変調を一目で見抜くかもしれない。たとえ裸を見なくても、母には独特の勘がある。

このままいけば、なにかただならぬ大事がおこりそうである。

涼子は改めて、陽だまりに投げ出された桜の着物を眺めてみる。

最も美しい着物を、選りに選って躰の変調に悩んでいるときに送られてきたことが皮肉である。

口が裂けても母にはいえない事実を秘めたまま、この着物を着るのか。そんな秘密を隠したまま美しく装った娘を、母はどんな目で見るだろうか。

考えるうちに、春陽のなかに広がっている着物が、涼子には魔物のように見えてくる。美しい柄がさまざまな目をもち、やがてそれだけが狂って踊り出すような錯覚にとらわれる。

「桜の咲くころ、この着物を着たあなたを見ます……」

まさか知っているわけはないのに、母の手紙は、すべてを見通しているようでもある。

細い糸のような雨が降っている。喫茶店の窓ごしに外を見ている遊佐の目には、しかと見えぬほどの細かな雨である。

しかし外を行く人々はみな傘をさしている。ときたま傘のないまま、頭をブックバンドでとめた本でおおって通りすぎる学生もいる。

雨は弱いが、傘はいらぬというほどではない。

遊佐はその春雨に煙った外の景色を眺めながら煙草を喫っている。

正午少し前、渋谷から出ている私鉄の駅に近い喫茶店には五、六人の客しかいない。

買い物にきた途中にでも寄ったのか、二人連れの主婦と、学生が三人、他にスポーツ紙を読んでいる男性が一人いるだけである。

遊佐はゆっくりと煙草を喫ってから、また窓ごしに外を見た。

窓の先は小さな植え込みの空き地をおいて歩道になり、車道をこえて向かい側の街並みが見える。

涼子が診察を終えて戻ってくるときは、その向かい側の歩道から横断歩道を渡ってくる。

煙草を手に持ったまま、遊佐はその方向を眺めているが、涼子の赤い花柄の傘はまだ見えない。

遊佐が涼子から、躰の変調をきかされたのは、いまから四日前だった。

どういうわけか、涼子から話があるといわれた瞬間、遊佐はそのことではないかと予感した。

遊佐がそう思ったのは、能登で涼子と結ばれたあと、雷鳴の名残をききながら、「もしかして……」と思ったからである。

その予感はやはり的中したようである。

「まだ、はっきりわからないのですけど……」

涼子は半信半疑なのに、遊佐はすでにたしかなことだと思っていた。

「どうしたらいいでしょう」

「それは、やはり……」

病院に行ってたしかめるよりないが、すぐに行けとはいいかねる。そのまま黙っていると、涼子が泣き出しそうな顔になった。

「そんなことになったら、困るわ」

「…………」

「ねえ、大丈夫でしょう」

怯える涼子を宥めて、病院へ行く決心をさせるのに、まる三日かかった。

「べつに、そうと決まったわけではない。いろいろ考えて悩むより、きちんと診てもらったほうが安心する」

遊佐自身、知っている産婦人科医がいるが、彼に相談するには気が重い。迷った末、通りがかりに見た産婦人科医院へ行くことにした。病院の内容も医師もわからないが、表の通りから少し入った閑静なところに、ひっそりと建っているのが好ましかったし、白いタイルの瀟洒な建物が清潔に見えたからである。

行くと決心したはずの涼子は、今朝になってもなお迷っていた。

いざとなると、不安と恐怖にとりつかれるのであろう。

できることなら、遊佐も一緒に従いていってやりたかった。

だが大の男が、娘ほど年齢の違う女性を産婦人科医院にともなうのはさすがに気がひける。

やむなく病院の前まで送り、あとは近くの喫茶店で診察が終わるのを待つことにした。

今朝、遊佐は車で涼子を迎えに行きながら、雨が降っていることに安堵した。

天気は直接関係はないが、明るく晴れすぎていては病院に入りにくい。秘めたことをするには、陽が少し翳っていたほうがいい。

涼子の赤い花柄の傘が、白いタイルの病院に吸いこまれるのを見届けてから、遊佐は待ち合わせの喫茶店にきた。

そのまま、すでに一時間以上経っている。

待ちながら、遊佐はこれからのことを考えた。

もし、涼子のいうとおりなら……。

「もし」といっていながら、心の中ではすでに妊っていることに決めていた。好ましい事態より困難な状況を考えたほうが間違いない。

たしかに能登での夜、遊佐は気持がおもむくままに涼子を抱きしめた。いつもは躰の調子を尋ね、それなりの方法をこうじるのに、その夜にかぎってなにも考えていなかった。

雪の能登まできて、いまさら躰のことなぞききたくない。その一瞬の油断が予防することを忘れさせた。

もっとも、その不注意の裏には、一年間愛し合ってきて、なにごともなかったという安心感もある。これまで無事であったのだから、今夜くらいは大丈夫だと軽く考えてしまった。

それを悪いといわれたら一言もないが、男はときに、余計なことは一切考えず、求めたくなるときがある。それがたまたま、危険なときにぶつかったということのようである。

「もしかして……」と、遊佐の脳裏に不安が浮かんだのは、満たされて果てたあとである。

涼子はなお悦びのきわみをさ迷うように、かすかな溜め息を洩らしていた。

その力を失ったやわらかな肌を抱きながら、遊佐はいま涼子が妊っていくような予感にとらわれた。

このひたすら降る雪の夜に、涼子の躰のなかに新しい命が宿るかもしれない。そう思いながら、遊佐は息を潜めて涼子を抱きしめていた。

いまになって考えれば、あのときすぐなんらかの処置をこうじれば、まだ間に合ったかもしれない。

だが、遊佐は涼子を離す気になれなかったし、涼子も離れる気配はなかった。ひたすら抱き合いながら、時が経過するのを待っていた。

　そのときの気持は、たとえていえば、このままじっとしていれば地獄に堕ちるのを知りながら、その堕落感のなかに身を漂わせている感覚に近い。

　なにか取り返しのつかぬことになる……。

　そんな予感を抱きながら、遊佐は涼子と一緒に堕ちていく自分を感じていた。


　糸のような雨は止みそうもない。小雨のままもう二日間降り続いている。横断歩道には信号があるが、いくつもの傘のあいだから、遊佐は向かい側の歩道を見た。

　手動式なのでなかなか青にならない。サラリーマン風の男性と、子供の手を引いた婦人がその前で待っている。子供は幼稚園にでも通っているのか、黄色い雨合羽を着ている。

　ひとしきり車が通りすぎたあと、ようやく青になって、サラリーマンと母子連れが渡り出す。

　三人が歩道の半ばまですすんだとき、信号の先に赤い花柄の傘が現れた。

　顔は傘にかくれて見えないが、ベージュのハーフコートを着て、膝までのブーツをはいているところをみると涼子に間違いない。

　遊佐は持っていた煙草を消して、赤い傘の動きを追った。

　遅れてきた涼子は横断歩道の手前で、渡りきれるかどうか考えたらしい。立ち止まり、左右を見渡してから渡り出す。

足早に、なにかから逃げるような足取りである。軽く前屈みで、顔は傘にかくれて見えない。

遊佐は窓から目を戻して、冷めたコーヒーを啜った。

間もなく、涼子がここに現れる。そのとき、まずなんと声をかけようか。考えるうちに正面のガラスのドアが開き、涼子が入ってきた。

咄嗟に、遊佐はまた窓のほうを向き、気づかぬふりをよそおった。

人の近づく気配がして、いま気がついたように顔をあげると涼子が立っていた。

髪をうしろで束ねているせいか、稚なく見える顔が少し蒼ざめている。

コートを脱いで涼子が坐るのを待って、遊佐は尋ねた。

「どうだった?」

涼子は堅い表情のまま、ゆっくりと首を左右に振った。

ウエイトレスがおしぼりとお冷やを持ってきて、注文をきいた。

「コオヒイ……」

涼子が無表情に答える。

ウエイトレスが去ってから、遊佐はまた窓を見た。再び横断歩道が青になり、自転車を押した主婦と、杖をついた老人が渡っていく。遊佐はそれを視野の片隅にいれながらきいた。

「じゃあ、やっぱり……」

涼子が静かに溜め息をつく。予期していたことであったが、絶対というわけではない。十のうち二か三の確率で、違う可能性も期待していたが、いまとなっては医師のいうことを信じるよりない。

「それで……」

遊佐はいいかけたが、ウエイトレスがコーヒーを持ってきたのでやめた。コーヒーが涼子の前におかれ、おしぼりが下げられたところで、遊佐はききなおした。

「それで、いまは？」

「三カ月だそうです……」

涼子はそういってから、ハンドバッグを引き寄せた。

「出ましょう」

遊佐も一時間以上いて、喫茶店から出たくなっていた。

会計をすませて外に出ると、遊佐はすぐタクシーを拾った。

「三田のマンションで、いいね」

涼子がうなずくのを待って、運転手に行き先を告げると、遊佐は雨に煙る街へ目を向けた。

長びく春雨でドアの把手(とって)が湿気を帯びている。遊佐はその把手を押してリビングルームに入った。

菊乃がいるときは、部屋の一部を和風にして炬燵をおいてあったが、涼子が棲むようになってからはすべて洋間にして、ソファのまわりが広くなっている。

遊佐がそのソファの前でコートを脱ぐと、待っていたように涼子がしがみついてきた。いきなりものもいわず、頭ごと遊佐の胸元におしつけると、いやいやをするように激しく頭を左右に振る。

遊佐がよろめき、体勢をたて直して抱きかかえると、涼子は肩を小刻みに揺らして泣き出した。

初めて産婦人科の診察を受けて、涼子はショックを受けたようである。

「いやです、もういや……」

いままで人目があって耐えていた辛さが、一気にあふれ出たのであろう。

泣きじゃくる涼子を抱きしめたまま遊佐は黙っていた。こんなとき、男として慰めるべき言葉はない。

「悪かった……」と謝るのは簡単だが、それで涼子の悲しみが癒されるわけではない。

涼子が泣いているのは、妊娠したことへの怒りというより、そんな状態になった自分に慌てふためき、もてあましているのかもしれない。

遊佐は涼子を抱きながら、気持がおさまるのを待った。

ともかく妊娠とわかった以上、これからのことを考えなければならない。

正午すぎ、雨があがりかけたところで、涼子はようやく泣くことに疲れたようである。

バスルームに行き、顔をなおしてくると、湯を沸かしてコーヒーを淹れはじめた。

遊佐は流しに立っている涼子のうしろ姿を見ながら、涼子と初めて会ったときのことを思い出した。

いまから四年前、涼子がまだ大学二年生のころだった。

すでに母の恋人と察していたのか、涼子は遠慮深げに遠くから眺めるという感じで、遊佐に挨拶をした。そのときの娘が成長して自分と親しくなり、子供まで宿すとは、想像だにしていなかった。

いま目の前の細く頼りない躰に、新しい命が息づきはじめていることに、遊佐は改めて驚きと、そら恐ろしいものを感じる。

それは自分の責任でありながら、そうではない天命のような気もする。

涼子がコーヒーを淹れ、横に坐るのを待って、遊佐はつぶやいた。

「こんなことになって、恨んでいるだろう」

「…………」

「能登の夜は、ぼくの不注意だった」

涼子は両手を膝の上におき、目を伏せていた。

「もっと、気をつけるべきであった……」

遊佐はそこで頭をあげ、涼子の白い額を見た。

「でもあのときは、早く君を欲しくて抱いてしまった」

いま振り返ってみても、あの夜、何故(なぜ)あんなに急いで涼子を求めたのかわからない。もしかして、と思いながら突きすすんだのは何故なのか。

ただ男の身勝手とか衝動というものとも違う。なにかべつの力が、例えば能登の雪とか雷鳴とか、得体の知れぬものが遊佐をかりたて、無謀にすすんだとしか思えない。

「いまさら、謝ってどうなることでもないが、ぼくでできるだけのことはする」

そのまま黙っていると、涼子がつぶやいた。

「お医者さんが、どうしますかって……」

「………」

「ご主人とよく相談していらっしゃいと」

医師も、涼子が普通の主婦でないと、察したのかもしれない。

「けど、不思議です」

「なにが」

「わたしが、そして、いろいろなことが……」

涼子はいま、さまざまな思いのなかで揺れているようである。

「とにかく、もう一度、二人でよく考えよう」

いま結論を出すには早すぎる。いま少し時間をかけ、気持が落ち着いたところで考えたほうがよさそうである。

「大分、小降りになった」

遊佐は気分を変えるように立ち上がり、ベランダの前に移った。

なお雨は降り続いているが、空はいくらか明るさを増したようである。

二日間降りつづいた雨は地に沁みこみ、墓地も樹木も充分水を吸いこんでいる。

「もうじき、桜が咲く」

遊佐がベランダの左手の桜の樹を見ると、涼子が横にきて並んだ。

「今年は、少し早いのかもしれない」

少し気分が和んだのか、涼子が静かにうなずく。それに安堵して、遊佐はさらに続けた。

「この桜も、あと一週間くらいで咲くかもしれない」

「でも、本当に咲くのでしょうか」

「…………」

「わたしは、まだこの樹が咲いたのを見たことがないんです」

去年、菊乃と一緒にこの部屋を見にきたとき、この桜はすでに散りかけていた。

「もちろん、咲くよ」

「ここで、一人で見るのは怖いわ」

「どうして？」

「なんとなく……」

桜の樹の下には屍体がある、という言葉を思い出しながら、遊佐は涼子と並んで雨に濡れた樹を眺めていた。

春の夜空を疾風が駆け抜ける。

といって、窓や板戸がざわめくわけではない。アルミサッシや堅牢な扉が普及して、家のなかにいるとかなりの強風でもわからない。

風の強さは、ベランダに映る樹の葉の動きや、中空を行く風の音から察するだけである。

遊佐はその冷たい底鳴りのような音をききながら、この風が春二番であることを思い出した。

春一番はたしか、涼子と二人で能登へ行った直後に訪れた。

それからほぼ一カ月経って、春二番が吹き荒れている。

俳句の世界では、これらを「春疾風」と呼んでいるらしい。

文字だけ見ていると、いかにも風が速く、冷たそうである。

だが春疾風が吹く日は、風の強さのわりには気温は高い。今夜、このマンションへくるときも、遊佐はコートを着てこなかった。

春の風は強くても、どこかに樹の芽をふくらませるような温もりを含んでいる。

実際、この部屋も、暖房がなくても寒さを感じない。

今夜、遊佐がこの三田のマンションにきたのは、いまから十分前だった。

涼子との約束どおり十時半に着いたのだが、涼子はまだ帰っていなかったので、予め渡されていた合鍵で部屋のなかへ入った。

他人の家で一人で待っているのは落ち着かないが、間もなく涼子が帰ってくるまでのあいだである。

遊佐はベランダから目を戻すと、再びソファに腰を沈めてテレビを見た。夜のニュース番組で、開幕を控えたプロ野球の練習風景が映されている。とくに関心があるわけでもないが、他に見たいものもない。そのまま目だけテレビに向けながら、遊佐は煙草を喫う。

涼子が、部屋の鍵を渡してくれるようになったのは、一週間前からである。

妊娠していることを知って心細くなったのか、店が終わると、毎日のように逢いたいという。

しかし終わる時間はまちまちだし、遊佐も毎晩のように会食やパーティーの予定が入っていて、時間が当てにならない。

結局、三田のマンションで逢うのがたしかだが、それには鍵を持っているほうが便利である。

そんなことから、涼子のほうから鍵を渡してくれた。

女性から部屋の鍵をあずかるのは、悪い気はしない。それだけ信頼されている証だが、といって毎夜、三田にきて泊まるわけにもいかない。

妻は昨年の十一月から入院したままだが、高円寺の家には子供やお手伝いがいるし、いつ、会社から緊急の電話がかかってこないともかぎらない。

鍵は渡されても、三田に泊まったのはまだ三回である。もっとも一週間のあいだで三日だから、ほぼ一日おきになる。

子供のほうは仕事にかこつけて誤魔化せても、お手伝いはその異常さに気がついている。その証拠に今日も出がけに、「今夜はお帰りになるのでしょうね」と、念をおされた。

はっきり口には出さないが、目には非難の色が浮かんでいた。

だが妊娠を知ってから、遊佐の涼子への気持も変わってきた。いままでのたんなる愛しさにくわえて、切なさのようなものがくわわっている。

これまで、なにも知らなかった女性が子供まで宿してしまったという事実に、遊佐は戸惑いながら感動してもいる。涼子が自分の子供を妊っている以上、自分とつながり合った分身である。

その女が頼りなげにしているのを、放ってはおけない。

涼子への愛しさにかられながら、遊佐は自分がいま、かなり危険なところにきていることを感じている。

このまますすめば、なにか重大なことがおこりそうである。とりかえしのつかぬことになりそうだと思いながら、その状況から逃れられない。

遊佐は短くなった煙草を揉み消すと、時計を見た。

テレビの画面にはコマーシャルが流れて、そろそろ十一時である。涼子の店のラストオーダーは十時だから、それから伝票などを整理して車を拾うと、部屋に戻ってくるのは、十一時近くになる。

十時半といったが、遊佐は三十分くらいは待つつもりでいた。

それにしても、女性の部屋に先にきて一人で待っていると、自分はなにをしているのだろうと考えてしまう。もしかすると、女のヒモもこんな気持なのだろうかと思ったりする。

遊佐は自分の空想に呆れ、苦笑した。

ヒモなどと、暢気にかまえているときではない。早急に考えなければならないことが迫っている。

涼子のお腹の子供のことを、どうするのか……。

はっきりいって、望ましいことは堕ろすことである。病院はやはり診察を受けたところがよさそうである。

だがそのことについて、遊佐はまだ話したことはない。何度かいおうかと思いつつ、涼子の顔を見るといえなくなる。

もちろん、涼子のほうからも、そのことについてはなにもいわない。いずれ、堕ろさねばならぬことは、涼子も覚悟しているようだが、いまはまだ考えたくない、ということなのかもしれない。

しかし曖昧な状態にいるのも、あとせいぜい一週間である。来週の半ばには、京都から菊乃がくる。そのときまでに、今後の方針だけでもはっきりさせなければならない。

自分にいいきかせ、新しい煙草に火をつけようとしたとき、電話のベルが鳴った。

遊佐はテーブルの右手の電話台のほうを見たまま、息を潜めた。

涼子からの電話は、二度呼び出し音が続いてから一旦途切れ、それからまたかかってくることになっている。

だが電話のベルは鳴り続けている。

もし、菊乃だったらどうするか。

驚いて誰何するか、それとも遊佐と知って絶句するか、いずれにしてもただでは済まない。

十回近く鳴りつづけたあと、女の恨みのような余韻を残して電話は切れた。

遊佐はようやく安堵して煙草に火をつけた。

涼子が戻ってきたのは、それから十分あとだった。

入り口のドアを押して入った途端、遊佐が先にきているのに気がついたらしい。

「遅れて、ご免なさい」

謝りながら、声ははずんでいる。

「帰りしなに、大勢のお客さまがきやはって……」

涼子は肩からショールをとると、バッグと紙包みをテーブルの上においた。

「お腹のほうは大丈夫ですか。もしよかったら、これをおあがり下さい」

遊佐のために、お弁当を折り詰めにいれてきてくれたようだが、いまは食べられない。

「風が強いだろう」

遊佐はべつのことをきいた。

「きつう吹いて、マンションの前に、ポリバケツが転がっていました」

「今晩、一晩中続くらしい」

「いまお茶を淹れますから、ちょっと待って下さい」

涼子はそのまま、奥の部屋へ行く。遊佐はそのうしろ姿を見ながら想像する。

もし涼子と一緒に住むことになれば、いつもいまごろ帰ってきて、遊佐はテレビを見ながら迎えることになる。

帰る早々、涼子は甲斐甲斐しくお茶を淹れ、今日一日、店でおきたことを報告し、それをききながら二人で茶を啜る。そんな生活も悪くはないと思いながら、それに至る道のりの遠さに気が滅入る。

「今日は少し遅うならはると、いうてませんでした?」

半ば開かれたドアの先で着替えをしながら、涼子が尋ねる。

遊佐はそれをききながら、着物を脱ぎかけている涼子を抱きたい衝動にかられる。

どういうわけか妊娠を知ってから、涼子の躰はいっそう艶めき、悦びも増したようである。

一昨日、ベッドをともにしたときも、涼子はのぼりつめ、最後は岸辺に寄せられた藻のように、息も絶え絶えに横たわっていた。

細く頼りない躰に、信じられぬほどの淫らさが秘められている。

それを引き出したのが、自分であることに満足しながら、遊佐はそんな涼子に、ある妖しさも覚える。

このまま、淫ら地獄に二人とも堕ちこんで、二度と戻れなくなるのではないか……。

不安にかられながら、遊佐の心の片隅に、そうなるならなってもいい、といった開き直った気持もある。

その点では、涼子のほうも同じなのかもしれない。

妊娠を知ったときから、涼子の燃え方には、どこか開き直ったところがある。遊佐に部屋の鍵を渡し、毎夜のように逢おうとするのも、その一つの表れである。

愛し合っているなら当然といいながら、最近の二人の求め方はどこか異常である。

なにか先が限られているのに怯えて、いっときの快楽をむさぼり合っているようでもある。

「ケ、セラ、セラ……」

遊佐はこのごろ、昔きいた歌の一節を思い出す。

「なるようにしか、ならない……」

それはいささか無責任だが、いまの偽らぬ実感でもある。

涼子は店に着ていった和服から、ジーンズとセーター姿になって寝室から出てくると、お茶を淹れた。すでに妊娠三カ月だというが、ジーンズをはいた姿はすらりとして、子供が宿っているとは思えない。

「今日は、ゆっくりしていけるのでしょう」

涼子にそういわれると、「いや」とはいえない。出がけに見た、お手伝いの顔が浮かぶが、遊佐はゆっくりとうなずく。

「明日は早いのですか」

「八時に出ればいい」

「じゃあ、七時に起きて、お食事の支度をします」

このごろは、会社の秘書の女性も怪しいと思っているようだが、そんなことを気にしているわけにいかない。

「今日、お店に母から電話がありました」

突然、菊乃の話題になって、遊佐は思わず姿勢を正す。

「こちらにくるのが、少し遅うなって、来週の金曜日になるようです」

「何日くらい、いるのかな」

遊佐は他人ごとのようにきいた。

「二、三日だと思います」

菊乃がくればここに泊まることになる。それは当然のことながら、いま現実に涼子と二人でいることが不思議である。

「少し、飲みましょう」

涼子が思い出したように立ち上がると、サイドボードからブランデーとグラスを持ってきた。

「ストレートですか」

「いや、水割りがいいな」

冷蔵庫の氷と水をくわえて、グラスに注いでくれる。

軽く乾杯の仕種をすると、また風の音がする。

「こんな風の強い日に、あなたにいてもらってよかったわ」

いつからか、涼子は遊佐を「あなた」と呼び、遊佐は「涼子」と呼び捨てにしている。はっきり気がついたのは、能登に行ったときだが、いまはともに違和感はない。

「今日の風は、春二番だろう」

「一番、二番って、何番まであるんですか」

「三番くらいまでかな、春三番は四月の初めから半ばころにくる。花に嵐（あらし）といって、桜を散らすのはこの風の仕業だ」

「ほな、もう一度きやはるのですね」

涼子はブランデーグラスを持ったまま遊佐を見た。

「母がきても、二人で逢ったりしはらしませんね」

「…………」

「この前、二人で横浜へ行かはったでしょう」

「それは、君が……」

そのときは、涼子が故意に遊佐と菊乃を二人だけにしたのである。

「もう、あんな馬鹿（ばか）なことはしません、だからあなたもきちんとして」

「もちろん、そんなことはしない」

「でも、母はあなたと二人で会うつもりでいます」

「どうして……」

「お金を借りているので、お礼もいわなければならないなんて、いうてはりました」

二人の会話はともかく、遊佐自身は菊乃からなにも聞いていない。

「会うのはいいけど、そういうお話だけにしてね」

「当たり前じゃないか」

「信用がないんだから」

涼子が遊佐の膝を軽く抓る。冗談めかしながら、最近の涼子は嫉妬をあからさまに出す。

「でも、母に会うのは怖いわ」

涼子は美しい額に皺を寄せた。

「わからないと、思うけど……」

遊佐はうなずき、また風の音をきいてからいった。

「お母さんのこない前に、病院に行ってみる？」

「行って、どうするんですか」

「どうって、このままじゃまずいだろう」

「いやです、わたしはいややわ」

涼子はきっぱりと首を左右に振った。

「そんな非道いことはしません」

「しかし……」

どうやら、子供をあきらめることは、涼子の頭にはまだないようである。

遊佐がブランデーを飲むと、涼子が少し醒めた口調でいった。

「あなたは、早く堕ろして欲しいと思うてはるのでしょう」

「べつに、そんなわけではないが……」

「あなたの気持はわかっているわ、けど、わたしはいやや」

「……………」

「まだ、いややわ」

遊佐は「まだ……」という言葉にかすかな望みを託して、風の駆けていく音に耳を傾けた。

花明かり

夜のなかで、桜が咲いているのがわかる。目前に見えるわけではないが、夜の空気が花の精気を伝えてくる。

そんな春の夜のぬくもりのなかで、遊佐は菊乃を待っている。

麴町のお屋敷町にある料亭の一室である。八畳でこぢんまりとしているが床が掘られ、二人で逢うにはむしろこのほうが好ましい。

そのまま、遊佐が二本目の煙草に火をつけたとき、仲居に案内されて菊乃が現れた。

約束の六時半から、十分ほど遅れている。菊乃は遊佐を見ると、襖の前で手をついた。

「お久しぶりどす。長いあいだご無沙汰してしもうて、申し訳ありまへん」

他人行儀な挨拶に、遊佐は胡座から正座に直して頭を下げた。

「本日はわざわざお時間をとっていただきまして、おおきにありがとうございました」

もともと菊乃は丁寧な女だが、今日はとくに念入りである。遊佐は少ししらけた気持になって、向かいの席をすすめる。

「昨日、出てきたのでしょう」

「そうです、たまに出てくると、戸惑うてしもうて……」

菊乃と東京で最後に会ったのは一月の末である。まだ寒いときであったが、それから二カ月半の日が経っている。遊佐は懐かしい人を見るように、菊乃を見た。

「本当に久しぶりだ」

「お変わり、あらしまへんどしたか」

「まあ、なんとか……」

今日の菊乃の着物は、淡いグレーの地に桜の花が散っている。

少し前、涼子に送られてきた着物も桜が散っていたが、花の数は涼子のほうがはるかに多いし、地の色もパールピンクで派手だった。桜の着物が好きな菊乃は、華やかなほうを涼子に送って、地味なほうを身につけてきたのかもしれない。

「少し、痩せたかな？」

遊佐は改めて菊乃を見た。

「そうどすか、そんなに変わらへんと思いますけど」

菊乃が両手で頰をはさんで、かすかに笑う。一見柔和な顔だが、心までは笑っていないようである。

挨拶を交わしているうちに二人の前に先付けがおかれ、ビールの栓が抜かれる。

「それじゃ……」

遊佐が軽くグラスを持ち上げると、菊乃もそれに合わせた。

「いま、くるときに、『袖摺り坂』と書いた標識が立っていました」

「昔は狭い坂で、行き交う人の袖が摺り合ったのかもしれない」

「面白い名前どすねえ」

「こういう名前は、大切にしたほうがいい」

仲居が料理を運んでくると、菊乃が目を輝かす。

「きれい、これは桜の胡麻豆腐どすね」

料亭の女将らしく、菊乃は一品一品に関心があるようである。

遊佐はそんな菊乃を見ながら、今日、二人だけで会いたいといってきた真意はなになのかと考える。

もしかして、菊乃は娘の異常を察して、相談したいと思ったのではないか。

だがいまのところ、菊乃の態度は自然でかまえたところはない。いままでに較べると、いささか他人行儀で距離をおいている感じだが、それはいまに始まったことではない。

「とっても、美味しおすね」

菊乃は蟹のすり流しの吸い物と、皮はぎの向こう付けをゆっくりと味わう。遊佐も気に入っている料亭なので、菊乃が満足してくれると嬉しい。

「うっとこも、もう少しこちら風のお料理を出したほうが、ええかもしれしまへんねえ」

凌ぎに出てきた鯛と赤貝の桜鮨を食べながら、菊乃がつぶやく。

たしかに京料理も悪くはないが、ときに凝りすぎて、素材の新鮮さを生かしきれないことがある。

「お座敷がないと、ついお料理が雑になってしもうて……」

菊乃は東京の店に座敷をつくれなかったことを、いまだに悔いているようである。しかし座敷をつくって、成功したかどうかはまたべつの問題である。

「やはり、ときどき東京へ出てこなければあきまへん」

なに気ない言葉だが、遊佐はついその言葉の裏を考える。

本気で東京へ出てくるつもりなのか、それとも涼子や自分への、たんなる牽制のつもりなのか。

「もう少し、躰の調子がよければええのんですけど」

「京都に戻って、いくぶん快くなったのかと思ったけど」

「それが、季節の変わり目になるとやはりいけまへん」

たしかに菊乃は以前から、木の芽どきに体調を崩すことが多かった。

「もう、桜の季節だから、大丈夫でしょう」

「そうどす、早く桜が散れば、快くなると思います」

遊佐は「桜が散る」ということに少しひっかかったが、黙って酒を飲んだ。

「京都も、もう満開でしょう」

「円山公園は、この週末が見頃やというてます」

「じゃあ、東京のほうが少し早いのかな」

今夜、この料亭にくるときに見た千鳥ケ淵の桜は、すでに一部が散りはじめていた。

「この近くは、東京でもとくに桜の美しいところです」

「ほんまに、東京でこんなに桜を見たのは初めてどす。マンションのベランダの先の桜も満開でした」

遊佐はその桜を、菊乃のくる前の日に涼子と二人で見ていた。

「見やはりましたか」

「いや、どうして……」

遊佐が慌ててきき直すと、菊乃がうなずいた。

「一度、見にきやはらしまへんか。それはそれは綺麗どす、もしかすると、あれは少し異常なのかもしれまへん」

「………」

「普通の桜より色が濃うて、それが何重にも重なり合って、樹全体が狂うたようです」

たしかに涼子と一緒に見たときも、花の色は濃く、遊佐は不気味な思いにとらわれた。

「不思議な桜どす」

料理は海老芋と百合の根、若蕗などの煮合わせと酢の物が出たあと、竹の筒に盛られたご飯が出る。炊くときから竹筒に入れてあるので、竹の香りが沁みてふくよかである。

「こんなゆき届いたお料理を、ゆっくり出せると楽しおっしゃろね」

なにを食べても、菊乃はつい料理を出す側から考えるようである。

「とっても美味しくいただきました、ご馳走さま」

食事を終えて礼をいい、膳が下げられると、菊乃は思い出したように、遊佐の前に白い封筒を差し出した。

「こんなところで失礼どすけど、これをお納めしとおくれやす」

怪訝に思いながら、遊佐が封を開くと、なかから七千万の小切手が出てきた。

「お店をはじめる前に、お借りしたものです」

簡単な借用書こそ交わしているが、遊佐は返済に対してとくに期限をつけたわけではない。そのうち、余裕ができたときにでも返してくれればいいと考えていた。

「もう、お店もあのまま改装はしませんので、お返しいたします。利子もつけずに失礼どすけど」

「しかし、マンションを買うのにも必要でしょう」

「そちらのほうは、べつに銀行から借りることにしましたから」

遊佐としても、お金が余っているわけではないが、いま突然返されると、これで菊乃との縁が切れるような気がしないでもない。

「おかげさまで、東京のお店のほうも順調で、なんとかやっていけそうどす」

「…………」

「前々から、きちんとお返ししなくてはと思いながら、今日までずるずるきてしもうて、これですっきりいたしました」

今夜の用件はこれであったのかと、遊佐はいささか拍子抜け（ひょうしぬけ）したが、菊乃はさっぱりした表情で、さらにリボンのついた紙包みを差し出す。

「これ、つまらないものですが……」

「なんですか」

「お気に召すかどうかわかりまへんけど、気は心どすので」

遊佐が包みをあけると、小箱のなかにタイピンが入っている。ゴールドで、よく見ると花の形である。

「桜の花を、かたどってもらいました」

遊佐はうなずきながら、それを胸に当ててみた。

「これは素敵だ」

「桜のときだけでも、つけて下さい」

菊乃のいい方は、最後まで他人行儀である。

食事を終えて料亭を出ると、外は朧月夜(おぼろづきよ)であった。

遊佐は待たせてあった車に乗ってから、菊乃にきいてみた。

「少し、桜を見ていきましょうか」

菊乃は窓から外を見ながら、きき返した。

「お時間はよろしいのどすか」

遊佐はこのあと、涼子と逢(あ)う約束になっている。

この前、菊乃と二人だけにして懲(こ)りたのか、涼子は今夜、遊佐と逢いたいといい出した。

時間は決まっていないが、十時半くらいまでに、店に電話をすることになっている。

むろん、菊乃には内緒である。

もう十時なので、店に電話をしてもいいのだが、このまま菊乃と別れるのは心残りである。

「ここから歩いてもいけるくらいの、近い距離です」

千鳥ケ淵は皇居の北西にある田安門から、北の丸公園を望むお濠(ほり)の一帯で、桜並木が続き、南の端には戦没者慰霊碑がある。大都会の中心にある桜だが、皇居の緑に映えて鮮やかである。

数分もせずに車が着いて降りると、朧月夜の下で花がふくらんでいる。

遊佐は一瞬、「花明かり」という言葉を思い出した。夜なのに、花の下を行く人々の顔がみな明るく浮き出ている。

「こんな綺麗なところがあるとは、知りまへんどした」

「東京のど真ん中だから、かえって静かなのかもしれません」

皇居に近く宴会などを禁じているせいもあって、花を愛(め)でて散歩する人達だけだが、その数も十時を過ぎて大分減ったようである。

「今夜はずいぶんあたたこうおすね」

「少し気持悪いくらいだ」

花の下を行きながら、遊佐は汗ばむのを感じた。

「こんなにあたたかくては、じき散ってしまう」

ところどころ花の並木が途切れて、そのあいだから皇居の深い茂みが望まれる。

お濠に近いベンチに近づくと、右手の花の陰に人影がある。接吻(せっぷん)でもしているのか、朧月夜の下で二人は動かない。遊佐はそちらから目をそらすと、桜を振り返った。

「少し休もうか」

「少し、散りかけているでしょう」

見上げる菊乃の肩口に、花びらが一つ二つと落ちてくる。

「その着物のようだ」

一瞬、菊乃は意味がわからなかったようである。

「君の着物の桜のようにね……」

今度は気がついて、菊乃がかすかに笑った。

「涼子にはもっと派手なのを送りました、ご覧にならはりましたか？」

「いや……」

遊佐がつぶやくと、菊乃が続けた。

「おかげで、あの子もずいぶん大人になりました」

「……」

「昨夜も、東京の店はもう大丈夫だから、安心してなんて、いうて……」

菊乃の話をききながら、遊佐は息を潜めていた。これからどんな話がとび出すのか、なにをきかれても狼狽(ろうばい)してはいけない。

だが菊乃は突然、遊佐のほうを向くと、深々と頭を下げた。

「ほんまに、これからもよろしうお頼もうします」

「……」

「あの子は、あなたを頼りに思うてます」

二人の足元を、白いものが飛んでいったようである。一瞬、散っていく桜かと思ったが、それにしては少し大きくて揺れていた。

「しかし……」

どう答えていいものかわからぬまま、遊佐は菊乃を知ってまもなく、大原へ行ったときのことを思い出した。

やはり桜の季節で、三千院などを廻(まわ)って食事をし、外に出ると、やはり今日と同じ朧月夜であった。その月明かりの下の田舎道を歩いていると、足元を白い蝶(ちょう)が過ぎていった。いま足元を過ぎていったのも、蝶かもしれなかった。

「本当に、あなたにはお世話になりました」

遊佐は昔の思いから醒(さ)めて菊乃を見た。

「とっても、楽しうおした……」

なにやらもったいぶったいい方に遊佐が戸惑っていると、菊乃が腰を浮かした。

「もう、お時間でしょう」

「いや……」

先程から、遊佐は菊乃に尋ねたい衝動にかられていた。

「涼子が妊娠していることを知っていますか?」

その質問を辛(かろ)うじて喉元(のどもと)でおさえていると、菊乃が立ち上がり、ふいと桜の枝に手を伸ばした。

一瞬、菊乃の顔が桜に近づき、白い喉が花明かりのなかに浮き上がった。

桜の枝を折るのが禁じられていることくらい、菊乃は知っているはずである。

だが注意するまもなく、菊乃は一本の小枝を折ると、宙にかざした。

「くすっ……」と笑ったようだが、声は春の夜に吸いこまれ、ほのかな笑顔だけが月明かりのなかに残った。

遊佐はそれを見ながら、菊乃が桜の下で、狂女になったような気がして身が竦(すく)んだ。


雲を透して月が見える。一見、雲が月をさえぎっているようだが、よく見ると、水蒸気の薄い層が月を包んでいるらしい。

遊佐はその朧月夜のなかで菊乃と別れ、赤坂に近いホテルへ向かった。

約束の一階のバーへ行くと、涼子はすでにきて待っていた。

「遅いのやから、どこへ行ってたんですか」

待たされて、涼子はいささかおかんむりのようである。

「食事のあと、あまりあたたかいので、千鳥ケ淵の桜を見てきた」

「母と二人でですか」

「近かったものだからね」

涼子がジントニックを飲んでいるのを見て、遊佐は水割りを頼んだ。

「それで、母はもう帰りました?」

「送ろうかと思ったが、寄り道をしていくといって、一人で帰った」

「きみ代さんのところへ、行かはったのかな」

きみ代というのは、以前、京都で芸妓をしていたが、数年前から赤坂でバーをやっている。菊乃は以前から知り合いで、ときたま行くらしく、遊佐も一度連れていかれたことがある。

「母は酔うてはりましたか?」

「いや、たいして飲んではいないけど……」

遊佐は別れぎわに、菊乃が桜の小枝を折ったことを思い出した。なに気なく手を出したようだが、小枝を持ったときの笑いは、どこか異様な感じがした。

「母はまだ、あなたと一緒にいたかったのかもしれませんね」

「まさか……」

否定したが、遊佐にも少し心残りがある。

「よく、似合う」

遊佐は気持を入れかえるように、涼子の着物を見た。

「お母さんも、桜の着物を着ていた」

同じ桜でも、涼子のは肩口から裾まで花が広がり、地も明るく華やかである。

「今日は母から、この着物を着るようにいわれたのです。わたしも着るから、あんたも着なさいって……」

「二人で、桜の着物を着ているところを見たかった」

「あなたに会う前、母はお店にちょっと出てきはって、お客さまにほめられて喜んでいました」

母娘で桜の着物を着て店に出てから、菊乃は麴町の料亭にきたようである。

「みんな、君を見ている」

ホテルのバーで、和服を着こなした若い女性の姿は目立つらしい。とくに斜め横の外人が珍しそうに涼子を見ている。

「洋服に着替えてこようかと思ったんですけど、時間がなくて。着物だと酔えないでしょう、今日はすごく飲みたい気持なんです」

涼子はジンをお代わりした。

「母は、なにかいうてましたか」

遊佐は煙草(たばこ)を喫(す)いながら苦笑した。

「お金を返すという話だった。べつに、返して欲しいといったわけではないんだが」

「でも、いつまでもご迷惑をかけるのは、いやだったんでしょう」

「返してさっぱりしたといっていた」

「返されると、淋(さび)しいんですか？」

「そんなわけではないが……」

遊佐が首を横に振ると、涼子が溜め息をついた。

「男の人の気持は、わからへんわ」

「それより、君のことをくれぐれも頼むといわれた」

「うちのことを、どうしてですか？」

「さあ、どうしてかな」

「前から、母はよくそんなことをいうてるけど、あれは一種の皮肉です」

「そんないい方をするもんじゃない、お母さんは本当に君のことを心配している」

「そんなら、なおさら、あなたに頼むのは可笑しいでしょう。あなたと一緒にいるのは一番危険なんですから」

このごろ、涼子は大胆なことをずばりという。

「母はやっぱり、嫉妬してはるのやわ」

「どうして、そんなことがいえるんだ」

「女には、女の気持がよくわかるわ」

涼子につられたわけではないが、遊佐も強いアルコールが欲しくなってスコッチをシングルからダブルに替えてもらう。

「お母さん……あのことに気がついた？」

一瞬、涼子は考えるように目を伏せた。

「わかりませんけど、気がついているのかもしれません」

「どうして……」

「昨夜、母と話していて、急に、胸がむかむかしてきたのです。トイレに行って、じき落ち着きましたけど」

「それで、なにかいわれた？」

「なにも……でも、そのあと、母はわたしをじっと見ていましたから」

母娘(おやこ)揃(そろ)って桜の着物を着ている姿はあでやかだが、妊(みご)もって胸をおさえている娘を黙って見詰めている母の姿は不気味である。

「今夜、母はあなたの様子を見るために、会わはったのかもしれません」

「ぼくの様子を？」

「どんな態度かと、それを見れば、本当かどうかわかるでしょう」

「しかし、そんなことは、なにも話していない」

「話さなくても、母は勘のいい人ですから」

涼子はさらにジンを飲んでから遊佐を見た。

「ねえ、今夜はどこかに連れてって下さい」

「………」

「どこでもいいんです。今日は家に帰りとうないんです」

「なにかあったの？」

「べつに……ただ、母が休んでから帰りたいのです」

気のせいか、涼子の顎(あご)が少し尖(とが)って見える。

「このまま帰ったら、母と喧嘩(けんか)をしてしまうかもしれません。昨夜も、危なくぶつかりそうになったんです」

「どうして？」

「べつに理由なんてありません。ただなんとなく、二人でいると息が詰まりそうになって……」

遊佐は自分が責められているような気がした。

「ベッドが一つしかないでしょう。一緒に休むのはいやだから、昨夜はわたしがソファに寝ましたけど、また、胸が悪くなるかもしれません」

妊娠のことを隠すことで、涼子は少し疲れたのかもしれない。

「しかし、泊まっていくわけにはいかないだろう」

「遅うなってもかまいません。母も、今夜は一人になりたいのかもしれません」

涼子に見詰められて、遊佐はゆっくりとうなずいた。

フロントに行って受付をすますと、遊佐はエレベーターの前に立った。すでに十二時を廻っているが、ロビーにはまだ客がいる。

その人々から逃れるように二人はエレベーターに乗り、十九階でおりる。

部屋はダブルで、窓からは赤坂から六本木一帯が見渡せる。

遊佐がスーツを脱ぎ、バスルームでシャワーを浴びているうちに、涼子は家に電話をかけたらしい。出てくると、電話の前に坐(すわ)っている。

「母が、帰っていないんです」

「赤坂の店で、まだ飲んでいるのかな」

「そちらは、少し前に出たようです」

「じゃあ、もうじき家に戻るだろう」

桜を見て、菊乃と別れたのは十時を過ぎていた。それから飲み出したとしたら遅くなるのも無理はない。

涼子がバスルームに入るのを待って、遊佐は冷蔵庫からビールを取り出した。

十二時を過ぎているが、都会の夜には光が犇(ひし)めいている。

この広い空の下のどこに、菊乃はいるのか……。

街の明かりを映して、空が赤く染まっているあたりが六本木で、その先の少し暗いところが三田かもしれない。

遊佐は、マンションの桜の樹のわきのベランダで休んでいる菊乃を想像した。

一度家まで送ったとき、酔った菊乃はそこで心地よげに凪にうたれていた。そんなところで休んでいては危険だと思いながら、黙って帰ってきた。

なまあたたかい春の夜だから、今夜も凪にうたれているかもしれない。

考えるうちに、遊佐はこのまま三田のマンションに駆けて行きたい衝動にかられた。

涼子を裏切るわけではないが、一人で飲み歩いていた菊乃が少し哀れである。もしベランダにいるのなら、声をかけてやりたい。

「そんなところに、いつまでもいると躰によくないよ」

それだけいって、菊乃が休むのを見届けたら帰ってくる。

窓ぎわを離れて、遊佐はクローゼットの前まできた。そこからシャツをとり、ズボンをはいてホテルの前からタクシーを拾えば、十分もせずに三田に着く。

「行こうか？」

遊佐はもう一度、自分にきいて、時計を見た。

十二時四十分である。そのままクローゼットの扉に手をかけたとき、涼子がバスルームから出てきた。

「どこかへ、行かはるんですか」

「いや、べつに……」

遊佐はクローゼットから離れると、なにごともなかったように窓ぎわに戻った。ついさっき少し前まで輝いていた正面のネオンが一つ消えている。遊佐は消えて広くなった闇の空間を見たまま言った。

「家に、電話をしなくてもいいの？」

返事がないので振り返ると、涼子は浴衣姿のままドアの近くの鏡の前に立っている。

「あなたが、電話をしやはったら」

「…………」

「返事をきけば、母が戻っているかどうかわかるでしょう」

涼子が不機嫌なのを知りながら、遊佐はダイヤルを廻した。

呼び出し音が十回続き、電話を切ろうとしたとき受話器をとる音がした。

「はあい……」

低いが、たしかに菊乃の声である。少し酔っているのか、どこか間のびして頼りない。

受話器を持ったまま振り返ると、涼子は鏡の前で髪を撫ぜている。

そのまま黙っていると、向こうからぷつりと電話が切れた。

遊佐は受話器をおくと、涼子の背に告げた。

「お母さん、いたよ」

「…………」

「帰らなくても、いいんだね」

「帰ってほしいんですか」

「そんなことはないが……」

遊佐が窓のカーテンを閉じると、突然、涼子はクローゼットの前へ行き、扉をあけた。

「おい、どうするんだ」

「帰れというわはるから、帰ります」

「そんなつもりで、きいたのではない。ただお母さんが帰っているから、心配するかと思って……」

「あなたはいつも母が第一で、わたしはその次なんですね」

「違う、そういうことではない」

だが涼子はそのまま着物を取り出し、着替えようとする。

「いい加減にしなさい」

遊佐は近づくと、涼子をうしろから羽交い締めにした。

「離して……」

涼子が首を振り、それとともに肩から浴衣がずり落ちる。

「あなたは嘘つきや。大嘘つきや」

涼子が両手をばたつかせ、上体をもがくが、遊佐はかまわず両手で抱き締めた。

「馬鹿なことをいうのはよせ」

そのまま腕のなかにおさえこんでいると、涼子はようやく抵抗をあきらめたようである。

静かになったのを見計らって、遊佐は腕の力を抜きながら囁いた。

「あまり暴れると、お腹の子供が驚く」

涼子はなにも答えず、遊佐の胸に頭をあずけている。

やがて春の夜のなまあたたかさを感じて遊佐は腕を解くと、部屋の明かりを消した。

「寝よう……」

一瞬、遊佐は菊乃のことを思ったが、すぐ忘れて、静かになった涼子の躰をベッドに横たえた。

夜中二時ごろ、遊佐は目を覚ました。

涼子と争ったあと、激しく愛を交わしてしばらく眠ってからだった。

誰かが呼んでいるような気がして目覚めたが、起きてみると声はなかった。夢のなかの声であったかと思って再び眠りについたが、どういうわけか時計を見た記憶だけがある。

ナイトテーブルに嵌めこまれている時計が、二時を示しているのを見て、隣で休んでいる涼子に話しかけた。

「二時だよ……」

「はい、起きます」

涼子は意外にはっきりした声で返事をした。

だが深夜の記憶はそこまでで、あとは朧月夜のように定かでない。

二度目に遊佐が目覚めたのは、午前五時だった。

今度はさわさわとした衣ずれの音がして、目を覚ますと、涼子が着物を着ていた。

完全に覚めやらぬ目に、涼子の動きは、ひどく慌てて気ぜわしげであった。

「起きたの?」

「わたし、先に帰ります」

そんな会話を交わしながら、遊佐はなお眠りをむさぼっていた。

少し間をおいて、バスルームを出入りする音がして、再び涼子の声がした。

「五時だから、帰ります」

今度ははっきりと耳元でき、見上げると涼子はすでに桜の着物を着て、手にバッグを持っていた。

「あとでお電話をしますから、あなたは休んでいて下さい」

それだけいうと、涼子はばたんとドアを閉めて出ていった。

そのあと、遊佐はまた眠ったらしい。

三度目に目覚めたのは、それからさほど時間が経っていない。

ベルが鳴っているようなので目を覚ますと、やはり電話が鳴っていた。

「はあい……」

目を閉じたまま受話器をとると、涼子の声がとびこんできた。

「母が死にました」

「なあに……」

「母が死んだんです……」

そのまま潮騒(しおさい)のような音が続き、そこでようやく、涼子が泣いているのだと知った。

「なんだって」

「母が……」

その一言で遊佐の頭は完全に覚め、ベッドにはね起きた。

「お母さんが、死んだ？」

春の夜のなまあたたかさのなかで、遊佐は大声できき返した。

静心なく

外はすでに夜が明けている。

乳白色の大気のなかで静まり返ったビルの群れが、一瞬、知らぬ街に踏みこんだような錯覚をおこさせる。

朝が戻ってきても、東京の街はまだ眠っているようである。

遊佐はその動き出す前の街に目を向けたまま、涼子からの電話を反芻した。

「母が死にました」

いきなりいわれたとき、なんの意味かよくわからなかった。はじめは夢のなかの声かと思い、それから涼子が冗談半分にいっているのかと思った。

本当に菊乃が死んだのだとわかったのは、それから嗚咽が洩れ、もう一度、同じ言葉をきいてからだった。

咄嗟に「何故？」と叫び、「どうして？」ときき返したが、涼子の返事は虚ろだった。

「わかりません……」をくり返すだけで、あとは泣きじゃくる。

「いますぐ行く、わかったね」

ネクタイは締めず、シャツにスーツだけ着て部屋をとび出すと、ホテルの前に待っていたタクシーに乗った。

「三田へ……」

車が走り出しても、遊佐はまだ菊乃が死んだことが信じられなかった。泣いてはいても、涼子は悪戯けているのではないかと思っていた。

「馬鹿な……」

何度かつぶやきながら、遊佐は明るくなっていく街を見ていた。

これから穏やかな春の一日が訪れるというのに、菊乃が死ぬわけはない。

そう思い、いいきかせるうちに、それが次第に確信になっていく。

だが魚籃坂を登り、坂の先の道の彼方に赤く点滅するパトカーを見たとき、遊佐の確信は揺らいだ。

もしかして涼子のところへ、と思ったとおり、パトカーはマンションの前に停まっていた。

慌ててタクシーを降り、車のなかを覗いたが警官の姿はなかった。

マンションのエレベーターはつかわず、階段をかけあがり、部屋のインターホンを押したが返事がない。かまわず開けると、入り口に女ものの草履と男ものの靴が脱ぎ捨てられ、奥のドアが開いたままになっている。

あたりをうかがいながら遊佐が入っていくと、ドアの先のリビングルームの中央に警官が立っていた。

「あのう、遊佐というものですが……」

軽く会釈すると警官はうなずき、左手の寝室のほうを指さした。

「そちらにいます」

いわれて寝室のドアを開けると、涼子がセーターとスカートに着替えてベッドに突っ伏し、わきに脱ぎ捨てられた着物が散っている。

「いま、着いた……」

遊佐が横に坐り、肩を叩くと、涼子がかすかに顔をあげた。

余程泣いたのか、両の目は腫れあがり、髪が顔の半ばまでおおっている。

遊佐の顔を見て悲しみがぶり返したのか、涼子は「母が……」とつぶやいただけで遊佐の胸元に突っ伏した。

やわらかい涼子の髪を撫ぜながら、遊佐はあたりを見廻したが、菊乃の姿はない。

「お母さんは？」

「………」

尋ねても答えないので、泣きじゃくる涼子をおいて立ち上がり、リビングルームへ行くと、先程の警官がベランダから下を覗いている。

下にいる人と話しているようなので近づくと、警官が振り返った。

「気をつけて……」

事情がわからぬままベランダから下を覗くと同時に、遊佐は声をあげた。

「あっ……」

眼下に数人の人が集まり、その中央に横たわっているものがある。

一瞬、遊佐はそれが天上から舞いおりた着物かと思った。だがよく見ると、着物の一端は長い髪がおおい、もう一方の端に白い足袋と脛がわずかに見える。

いったん顔をそむけ、再び覗きこんで、遊佐はそれが菊乃の着ていた桜の着物で、うつ伏せのまま軽く横を向いているのが、菊乃であることを知った。

「ここから落ちたようです」

警官の説明をききながら、遊佐はゆっくりと首を左右に振った。

何故、菊乃がいまここに倒れているのか。もしかすると、菊乃は悪戯半分に、ベランダの下の黒土の上で休んでいるのではないか。

だが倒れた菊乃の側にいる男は、なにかを計測するようにメジャーを持ち、もう一人はしきりにメモをとっている。二人とも警官で、そこから少し退った位置から怖わ怖わ眺めているのは、マンションの管理人と住んでいる人々のようである。

「どうして……」

遊佐がつぶやくと、横に立っていた警官が右手の柵(さく)を示した。

ベランダを囲っている縦の柵が二本ほど外側に捻(ねじ)れている。

「事故死かどうかわからないので、これからいろいろお聞きしたいのですが」

警官の話をききながら、遊佐は目を閉じた。

いま、現実に見えるものは夢であって欲しい。ほんの戯(たわむ)れの冗談であって欲しい。

だが恐る恐る目を開くと、眼下に菊乃はやはり花のように横たわっている。

「いつ……」

喉(のど)が乾ききって、思うように言葉が出ない。

「娘さんの話では、気がついたのは五時半ごろのようです。これから鑑識のほうでよく調べてみなければなりませんが、落ちたのは二時ごろかもしれません」

「午前二時……」

「そのころ、あの管理人と階下(した)の人が、どすんという音をきいているのです」

遊佐はベランダから一歩退って額に手を当てた。

どういうわけか、昨夜、一時少し前に、三田のマンションに駆けつけたい衝動にかられた。

菊乃が酔ったまま、ベランダで風にうたれているような気がして落ち着かなかったが、もしかすると、あれは菊乃が呼んでいたのかもしれない。

「で、死んでいるんですか」

警官は当たり前だというようにうなずいた。

「娘さんが発見したときに、すでに死んでいましたから……」

寝室のほうを見たが、涼子は出てくる気配はない。初めのショックが大きすぎて、動けないようである。

「遺書かなにかは？」

「いまのところは、ないようです」

遊佐は改めて部屋のなかを振り返った。ソファに囲まれたテーブルのうえにブランデーのボトルとグラスがあり、その横に菊乃の持っていた西陣織のバッグがおかれている。

部屋は涼子が帰ったときのまま、なにも変わっていないようである。

「下に行って、いいですか」

「どうぞ、いったん外に出て、マンションのわきから行くようです」

遊佐はもう一度、寝室を覗き、涼子がベッドに休んでいるのを見届けて部屋を出た。

マンションは四階建てで、表から見るとさほど高くないが、裏側から見ると傾斜地の上に屹立（きつりつ）している。菊乃はその傾斜地と窪地（くぼち）のあいだの、やや平坦（へいたん）になったところに、顔を軽く左に向けたまま、うつ伏せの形で横たわっている。

遊佐が近づくと、メモ帖を持った警官が近づいてきた。

「ご主人ですか？」

「ちょっと、知り合いの者ですが……」

警官はもう一度遊佐をたしかめるように見てから、仕事に戻った。鑑識係ではなく、近くの交番から駆けつけてきて、状況だけを調べているようである。

彼等から少し離れて、遊佐は菊乃を見た。

落ちる途中、斜面にでも当たったのか、着物の右の袖と裾が土で汚れ、割れた裾から桜色のはっかけが覗いている。

着物は昨夜、着ていたままだが、横を向いた顔は蒼白で、よく見ると、唇から下顎にかけて一筋、血が流れている。

斜面を落ちながら、躰が捻れたのか、左手は腋の下にかくれ、右手だけが空を摑むように伸び、その先に桜の小枝が一本落ちている。

遊佐がそれを手にしようとすると、メモを持った警官がいった。

「まだ調べが終わっていませんから、現状のままいじらないで下さい」

出しかけた手をおさえながら、遊佐はそれが昨夜、菊乃が千鳥ケ淵で折った桜であることを知った。

朧月夜のなかで小枝を折ったとき、遊佐は不気味なものを見たような気がしたが、菊乃はそのまま持ち帰ったらしい。

「五メートル先に、スリッパ」

年配の警官が叫び、それをもう一人の警官がメモしている。

遊佐は突然、目の前の菊乃に呼びかけたい衝動にかられた。

「おい、俺だよ……」

いま耳元で囁けば、菊乃は目を開き、起き上がりそうである。

その衝動を、辛うじておさえていると、菊乃の顔の上に桜の花片が一つ落ちてきた。

見上げると、乳白色の大気は次第に消え、晴れていく空の下で満開の桜が散りかけている。

昨夜、遊佐は菊乃に、ベランダの横の桜を見にくるように誘われた。普通の桜より色が濃くて、少し異常なのかもしれないといっていたが、嫌っている様子はなかった。

むしろ不気味だといっていたのは、涼子のほうだった。

いま菊乃は、その満開の桜の下で微動だにせず眠っている。

「よろしかったら、ちょっと事情をお聞かせ願えませんか」

遊佐はうなずくと、もう一度振り向いて、花片が散る菊乃の顔に掌を合わせた。

事情聴取はリビングルームでおこなわれたが、警官は、遊佐の立場をいま一つわかりかねているようである。死んだ菊乃に身近な人とは思っているようだが、早朝、真っ先に駆けつけてきたことが解せないらしい。

遊佐は涼子から電話をもらったことを告げ、菊乃とは以前から親しくしていて、昨夜も逢っていたことを打ち明けた。

「それで一つお聞きしたいのですが、以前から、なにか悩んだり気にしていることはありませんでしたか」

遊佐はしばらく考えてから首を横に振った。

「とくに、なかったと思いますが……」

菊乃が涼子と自分のことで悩んでいたことは、まぎれもない事実である。

しかしいま、そうしたことまで警官に話す気にはなれない。

「昨夜も、とくに変わったところは、ありませんでしたか」

「べつに……」

別れぎわに突然、桜の小枝を折ったり、ほのかな笑みを洩らしたが、それが自殺の証となるわけでもない。

「娘さんも、そんな気配はまったくなかったというのですが、しかしあのベランダから落ちるとはね……」

警官は改めてベランダのほうを振り返った。

「柵が古くなっていたのかもしれませんが、余程強く当たったか、倒れでもしないかぎり、落ちることはないと思うのですが……」

「大分、酔っていたのでしょうか」

「その点は、あとで解剖すればわかると思いますが、アルコールはかなり飲んでいたようです。部屋のテーブルにもブランデーのボトルがありましたから」

「酔って帰ったあと、ベランダで休んでいるのを、見たことがあります」

「いつごろですか」

「去年の秋ですが、あまり酔っていたので、ここまで送ってきたのですが、ベランダで風にうたれていると気持がいいといって……」

警官はメモをしてからつぶやいた。

「しかしいくら酔っても、女性ですからねえ」

「………」

「仕事や、人間関係ではどうだったのでしょう?」

「店のほうは順調だったと、思います」

「娘さんの話では、最近、少し疲れていたようだったといっていましたが」

涼子がどういういい方をしたのかわからないが、それ以上のことをいっているとは思えない。

「なにか好きな人とか、そういう人はいなかったのでしょうか」

遊佐が黙っていると、入り口のチャイムが鳴って、若いほうの警官が戸口へ出ていった。二人だけになって、年配の警官は一つ溜め息をついた。

「しかし、あんな美しい人が、どうして死ぬんでしょうかね」

そういわれても、遊佐には答えようがない。

「女の気持は、われわれにはよくわかりません」

変死といっても、他殺の気配はなく、自殺か事故死の問題だけに、警官はそれ以上追及する気はなさそうである。

「しかし、ここの娘さんも暢気ですなあ。お母さんが久し振りに京都から出てきたというのに、朝方、五時過ぎに、のこのこ帰ってくるんですからね」

「………」

「娘さんが早く帰っていれば、防げたと思うんですが」

遊佐が話にのってこないのを知ってか、警官は立ち上がった。

「それじゃひとまずこれで、いずれまたお聞きするかもしれませんが……」

遊佐が一礼すると、警官は出口へ向かった。

開け放たれたベランダの下で声がするので覗くと、いつのまにか二、三十人の人が屍体をとり巻いている。新たにきた鑑識係にくわえて、マンションに住んでいる人々が事故をきいて集まってきたらしい。

遊佐は曲がったベランダの柵に触れてから寝室に行き、ベッドで横になっている涼子に囁(ささや)いた。

「みんな、下に行ったよ」

涼子は泣き腫らした目で、しばらく夢遊病者のように宙を見ていたが、やがてぽつりとつぶやいた。

「わたしが、殺したんです」

「そんなことはない……」

「そうです」

涼子は今度はきっぱりというと、遊佐を見詰めた。

「母は、私を罰するために死んだんです」

「まさか……」

再び泣きじゃくる涼子の肩に手を当てたまま、遊佐はいまさらのように自分のしたことの怖さに身震いした。

菊乃の死から三日間、東京では異様にあたたかい日が続いた。

三日目の午後、遊佐は新幹線で京都へ向かった。

菊乃の遺体は死の翌日、涼子と一緒に京都に移され、その夜、密葬がおこなわれた。

三日目の夜は、東山の鹿ケ谷に近い寺で、一般の通夜がおこなわれる。

遊佐が着いたとき、京都も汗ばむほどのあたたかさであった。

東京から京都まで、東海道一帯は花曇りの下で、どこの桜もはち切れるばかりに咲いていた。

遊佐は鴨川べりのホテルに着くと、喪服に着替え、通夜に出かけた。

すでに六時であったが、春の宵の明るさはなお中空に残り、東山ぞいの花に彩られた一帯だけが、白く浮き上がっている。

通夜のおこなわれる寺は、辰村家の菩提寺らしく、広い石段を登った先に本堂があるが、その左右も桜でつつまれていた。

遊佐が着いたとき、読経がはじまったばかりだったが、広い本堂は人でうずまっていた。

受付で遊佐が名前を記帳して香奠を差し出すと、前にいた若い女性が、「遊佐さまですか……」とたしかめ、「ご案内します」といった。

そのままあとを従いていくと、本堂の横から入り、最前列から二列目の端の席に案内された。

遊佐は礼をいって坐ったが、まわりは辰村家と菊乃の実家の縁続きの人達ばかりのようである。

こんな前の席に案内されたことに遊佐は恐縮したが、若い女性が名前をたしかめて案内してくれたところをみると、涼子があらかじめ頼んでおいてくれたのかもしれない。

遊佐は姿勢を正し、数珠を手にして祭壇を見た。

さまざまな花に囲まれた正面に、菊乃の写真がかざられている。去年の春、まだ体調もよかったときに撮ったのか、和服を着て、軽く横向きに微笑んでいる。頰もふっくらとしておだやかである。

死の前夜に逢ったときの、顎が尖って、どこか思い詰めた表情とは大分違う。

遊佐は、自分のほうを向いている菊乃の顔を見ながら、改めて懐かしさと痛ましさを覚えた。

もしいまここで、菊乃が甦ってくれたら、遊佐は地べたに額をすりつけて謝りたい。

「そんなに君を苦しめていたとは知らなかった……すべて自分の責任である」

祭壇の前では朱の法衣を着た高僧以下、五人の僧が並んで次々とお経を読みあげる。

会葬者はさらに増え、本堂の座敷から廻り廊下のほうまであふれているようである。

お経をききながら、遊佐はあたりを窺ったが、涼子の姿がない。

やがてお経は続けられたまま、近親者から焼香盆が廻される。

菊乃の姉なのか、目鼻立ちのよく似た品のいい老婦人が頭を下げ、掌を合わせる。その前に焼香した、やや白髪の目立つ男性が、菊乃の夫なのかもしれない。さらに婦人の横にいる二人の中年の女性が眼にハンカチを当てている。

遊佐は改めて、菊乃が自分の知らぬさまざまな人との絆を持っていたことに気がついた。菊乃の死はそれらの人々に、忘れがたい悲しみと傷を与えたようである。

遊佐の許に焼香盆が廻されてきて、遊佐はもう一度菊乃の遺影を見上げた。

さまざまな苦しみの果てに、菊乃はようやく微笑む境地に達したようである。そうでも思わなければ、罪の思いでいたたまれない。

焼香を終えてまわりを見たが、やはり涼子の姿はない。

菊乃の死んだ翌日、京都に帰ってから、涼子とは連絡がとれていない。

「たつむら」の店はもちろん、家のほうに電話をしても、聞き覚えのない声がでるばかりで、不在だという。急用だといって探してもらおうかとも思ったが、遊佐は自分の名前をいうのをためらった。

菊乃の死は自殺か事故死かわからぬまま、人々に異常な印象だけを残して、その余韻はまだ消えていない。

とくに東京に行っているときの事件だけに、菊乃の近親者は、東京にいる人間に不信感を抱いているようである。

そんなときに、わざわざ名のるまでもない。

通夜に駆けつけてきたが、遊佐は一介の知人として、遠くから菊乃を見送るつもりであった。

もちろん、このように通夜の席で前に坐るのは、遊佐の本意ではない。むろん告別式が終わるまで、涼子に近づく気もなかった。

もし用件があれば、涼子のほうから連絡がくるはずである。

だが三日目になっても連絡がなく、通夜の席にも姿が見えないとなると不安はつのる。

「涼子さんは、どうしたのですか？」

そう尋ねたい気持をおさえてホテルに戻ったが、遊佐はやはり落ち着かない。

たまりかねて夜十時すぎに、家のほうに電話をしたが、用事で出ていて不在だという。

迷った末、泊まっているホテルの名前を告げ、あとで電話をくれるように頼んだが、深夜まで待っても、涼子からは電話がなかった。

通夜から告別式と、忙しいさなかで、電話をよこす余裕もないのであろう。

遊佐はそう自分にいいきかせて納得したが、もしや涼子まで、と考え出すと眠れない。

通夜の翌日、遊佐は十時からの告別式に合わせてホテルを出た。

相変わらず花曇りのあたたかい日だが、天気は西のほうから崩れかけているという予報が出ていた。

京の花は満開の時期を好天に恵まれて、そろそろ散りはじめている。

日中のせいか、告別式は通夜のときよりさらに人が増え、本堂の前の広場から石段まで、見送る人々でうまっている。

十一時に読経が終わり、出棺の準備ができたところで、菊乃の夫が喪主として挨拶に立った。

少し離れた位置から遊佐が眺めていると、その横に涼子の顔が見える。初めに思ったとおり、菊乃の夫は五十前後の実直そうな人だったが、涼子は喪服を着たせいか、細い躰が一段と引き締まり、顔は透けるように白い。

菊乃の夫は、忙しいときに集まってくれた人々に礼を述べてから、故人は誤って思いがけない死に見舞われたが、これまで自分の思うとおりに生きて、いま沢山の人々に名残を惜しんでもらって、それなりに満足していることだろうと結んだ。

誠実な人らしく、一言一言、言葉を選ぶように話したが、その慎重な言葉のなかにも、長いあいだ別居を余儀なくされていた、夫の思いがこめられているようである。

遊佐は挨拶をききながら、涼子の蒼ざめた顔を見ていた。

母の死を知ったときから泣き続け、翌日、京都へ発つまでなにも食べなかったが、その憔悴が重なったのであろうか。立っているのが、ようやくのようである。

遊佐は近づいて支えてやりたかったが、いまの立場ではそれもできない。

挨拶が終わると出棺で、柩のまわりでは、近親者達が菊乃と最後の別れを惜しんでいるようである。

いま一度、菊乃に逢いたい気持を抑えていると、昨夜、受付にいた若い女性が近づいてきた。

「遊佐さまでしたね、どうぞこちらにいらしてください」

誘われるままに人々のあいだを分けていくと、女は柩の前で止まった。

「逢うてあげて、ください」

突然いわれて振り返ると、うしろに涼子が立っていた。

遊佐は一瞬軽く目礼し、それから上体をのばして柩を覗いた。

左右に無数の桜の花がうずめられ、その中央で菊乃が静かに目を閉じている。

地上に墜ちたとき、右の額と顎に受けた傷は死化粧でおおわれ、形のいい鼻が白い頬の上にかすかな影を落としている。

見ているうちに、遊佐はその死顔に接吻をしたい衝動にかられた。

その唇も鼻も目も、つい数カ月前まで遊佐の腕のなかにあって馴染み合ってきた。

そのまま見詰めていると、葬儀屋らしい男が叫んだ。

「そろそろ、閉じますから……」

仕方なく一歩退ると、それを待っていたように石で打つ音が響き、柩の蓋が閉じられていく。

「今日、お帰りですか」

柩が閉じられたところで、涼子がきいた。

「その、つもりだけど……」

「今日五時に、ホテルにお伺いしたいのですが……」

遊佐は、涼子の透けるように白い顔を見たままうなずいた。

初めの予定では夕方の新幹線で東京へ帰るつもりだったが、遊佐はホテルに戻ってもう一泊のばすことにした。

明日は午前十時から会議があるが、朝早い新幹線に乗れば間に合う。

それより、涼子と二人だけで逢うのは、菊乃が死んだ日以来である。

その間、さまざまな思いを抱きながら、ゆっくり話す時間がなかった。

遊佐はこれで初めて、菊乃の死を、二人だけで考えることができると思った。

午後から、遊佐は一人で円山から平安神宮の桜を見て歩いた。

一年前、円山公園の枝垂れ桜は菊乃と見て、平安神宮の桜は涼子と見た。

ホテルに戻って休んでいると、約束の五時に涼子から電話があった。

「いま、階下のロビーにきています」

「じゃあ、部屋のほうへ……」

遊佐が誘うと、涼子が即座に答えた。

「いえ、ロビーでお逢いしたいのです」

急いで背広を着てロビーへ下りて行くと、涼子は紺のジョーゼットのワンピースを着て、顔は相変わらず蒼ざめている。

「昨日と今日と二日間も、遠いところを本当にありがとうございました」

改まった挨拶に遊佐は面食らったが、涼子は辰村の家の者としていっているようである。

「まだ、親戚の人達はいるのでしょう」

「いはりますが、もうお葬式も終わったのですから……」

「昨夜は探したが、いなかったので心配した。顔色がずいぶん悪いけど……」

「大丈夫です」

「お茶でも飲もうか」

遊佐が喫茶コーナーのほうに行きかけると涼子が立ち止まった。

「少し、外に出られませんか」

遊佐がうなずくと、涼子は先になってホテルを出て、前に停まっていたタクシーに手を挙げた。

「鹿ケ谷へ……」

涼子のいう寺の名をきいて、遊佐はそこが今日、告別式がおこなわれた場所だと知った。

「もう、お寺には誰もいないのでしょう」

「うちのお墓があるのです」

涼子はそこへ案内するつもりらしい。

「昨日初めて行ったけど、静かでいいところだ」

「本当は、三田のマンションの裏のお墓がいいかと思ったのです」

「まさか……」

「東京にお墓があれば、いつでもあなたにお参りしていただけるでしょう」

「京都だって、こられる」

暮れかけた京の街を抜け、山ぎわの小径を経て寺に着くと、涼子は車を待たせたまま石段を登った。

本堂もその前の広場も、出棺前のざわめきが嘘のように静まり返り、ビニールをかぶせられた花輪の束だけが、廻廊のわきに寄せられている。

遊佐は涼子に従って本堂のわきから地続きの墓地に入った。

「ここです」

涼子が示す一隅に古く大きな墓石が立ち、その中央に「辰村家代々之墓」と記されている。

遊佐はその前に立って、正面から仰ぎ見た。

「ここにも、桜がある」

墓の左手の小径の角に、桜の巨木が満開の花を散らせはじめている。

「去年の桜のとき、桜の樹の下には屍体がある、といわはりましたね」

涼子が遊佐と並んで、桜を見上げながらいった。

「母は本当に、桜の樹の下で眠ってしまいました」

遊佐は一年前、涼子と初めて京の桜を見たときのことを思い出した。そのとき、涼子はまだ稚なく、少女の名残をとどめていた。むろん、菊乃もふくよかな頰をもった女将であった。

それから一年しか経っていないことが、遊佐には不思議だった。

もう四、五年か、すくなくとも二、三年は経っているように思う。それほど、この一年は目まぐるしい一年であった。

「あの言葉をきいたとき、わたしはなにか不吉な予感がしました」

「そんなつもりで、いったのではない」

「でも、たしかにそんな気がして、怖かったのです」

「………」

「怖いと思いながら、ずるずると惹きこまれていって……」

それは遊佐も同じ思いであった。このままではいけないと思いながら、気がつくと底無し沼に堕ちこんでいた。

「結局、母を殺してしまいました」

「それは違う」

もし涼子が殺したというのなら、それ以上に遊佐が責められなければならない。

なによりも、遊佐が涼子に近づきさえしなければ、今度の悲劇は生じなかったはずである。

「悪いのは僕だ」

「………」

「君には、責任はない」

「もしかすると、わたし達はみな、桜に魅せられていたのかもしれません」

菊乃を死にいたらしめた理由はともかく、遊佐も菊乃も涼子も、気づかぬうちに桜の精に魅せられていたことだけはたしかなようである。

「怖い樹だ……」

遊佐が見上げると、その声がきこえたように花がこぼれ落ちる。

「坐ろう」

遊佐が墓の前の石段に腰をおろすと、涼子も横に坐った。並んでふと横を見ると、涼子の首に菊乃と同じ黒子(ほくろ)が見える。

遊佐は懐かしいものを見るようにしばらくそれを見てから、春の明け方、桜の樹の下で倒れていた菊乃の姿を思い出した。

何故(なぜ)あの夜に、あそこで死んだのか、遊佐にはこのまま謎(なぞ)となって残りそうである。

「お母さんは、やはり自殺だろうか……」

「………」

「君のお父さんは、事故死のようにいっていた」

「ああいわなければ、父の立場がありませんから」

遺書もないまま、警察では自殺、事故死のいずれとも断定できず、変死の扱いになっているようである。

「わからないと、かえって辛い……」

遊佐にはそれが一生の負担になりそうである。

「君はどう思う」

「わたしはわかっています」

「…………」

「母は、桜の精に連れていかれたのです」

遊佐はゆっくりとうなずいた。菊乃が桜の精に連れていかれたというのは、涼子の遊佐への思いやりとともに、涼子自身の願いなのかもしれない。

「あの夜も、一人で桜を見ていたのだろうか」

「だから、わたしはあのお部屋はいやだというたのです」

涼子はまた悲しみを思いだしたように涙声になった。

「でも、お母さんは大好きな桜の着物を着て、桜の花のなかに戻ったのだから……」

遊佐もいまはそう思うより、生きていくすべはない。

「また、ここにお参りにこよう」

泣きじゃくる肩に手を添えようとした瞬間、涼子が立ち上がった。

「ご免なさい」

遊佐が見上げると、涼子がきっぱりした口調でいった。

「これで、もうお逢いいたしません」

「なぜ……」

「これ以上、あなたと一緒にいると、どちらかがまた桜の精に連れ去られます」

「そんな……」

「いいえ、本当です」

遊佐は暮れていく空を見てから、立ち上がった。

「お腹の子供は、どうするのかね」

「流産しました」

「流産？」

「一昨日……」

陽が翳った墓石の前で、涼子は石に貼りつけられたように突っ立っている。

「知らなかった……」

遊佐は初めて、いっとき涼子と連絡がとれず、そのあと蒼白の顔で現れた理由がわかってきた。

「病院にいたのだね」

「………」

「何故、教えてくれなかったんだ」

「教えても、同じことです」

「そんなことはない」

「母が、わたしの赤ちゃんを連れていったのです」

再び涼子の目に涙があふれる。

遊佐は顔をそむけ、ゆっくりと首を左右に振った。

そんなふうに考えては、辛くなるばかりである。いまはただ、美しい桜のことだけを考えていたい。

「それも、桜の精かな」

涼子は涙に濡れた顔を上げてうなずくと、強く唇を嚙み、それから腹の底から絞り出すように叫んだ。

「さようなら」

瞬間、くるりと振り向き、本堂のほうへ駆け出す。

「おい……」

遊佐が呼んだが涼子は振り返らず、細い躰のどこにそんな力があったのかと思うほど、全力で墓地のあいだを駆け抜けて行く。

「待ちなさい」

呼びとめたが返事をせず、涼子のうしろ姿はたちまち小さくなり、本堂の先に消えていく。

墓石の前に一人残されて、遊佐は改めて散りはじめた桜を見た。

暮れるとともに強まってきた風のなかで、桜は今日をかぎりに終わるようである。

「そうか……」

花片を肩に受けながら、遊佐はつぶやいた。

どうやら桜とともに、母と娘と、二人のあいだを行き来した悦楽と背徳の日々も終わるようである。

突っ立っている遊佐の耳に、「さようなら」といった涼子の疳高い声だけが谺のように残っている。

考えてみると、いつかその終焉がくることを知りながら、遊佐は見果てぬ夢を追い、それに溺れていたようである。このまますすむと地獄に堕ちることを知りながら、その甘美で淫らな世界から脱け出すことはできなかった。

そしていま、菊乃の死という痛々しすぎる代償をえて、遊佐はようやく自分のしていることの愚かさに気がついたようである。

「馬鹿(ばか)な奴(やつ)が……」

目を閉じ、思いきり頭を左右に振った途端、遊佐は軽い眩暈(めまい)を覚えて蹲(うずくま)った。

しばらくそのままの姿勢で額をおさえ、やがて目を開くと、薄暮の空に満開の桜が、血を失った菊乃の額のように白く浮き出ている。

「そうか、桜が連れていったのか……」

いま一度つぶやき、本堂のほうに歩みかけて、遊佐はふと、背に花冷えを覚えて肩をすぼめた。

解説

小川和佑

まず、初めて渡辺文学に接する読者のためにこの作家の文学的輪廓のあらましを述べて置きたい。それはなによりも渡辺文学への理解を深める手引きとなるであろうから……。

作家は昭和八年（一九三三）、北海道のほぼ中央部、石狩平野の北部空知郡砂川町に生まれている。――ということは太平洋戦争下に少年期を過し、戦後の時代の転換の中で青春を送っている。

この時代に青春を送った作家たち、例えば小田実、開高健、高橋和巳は、昭和前期の作家たちにない鋭い社会意識を持ちながらも、なおもどこかに虚無――というよりも無常観に近い無を抱え込んでおり、それでいてなにかに激しく憧憬しているという特質がある。

もちろん、渡辺淳一もその例外ではない。中世の無常観にも似た「空」の心因が――実は、読者の意識せざる渡辺文学の魅力であるといえば過言であろうか。

世評に高かった『阿寒に果つ』（昭48）に見られる美しさの果ては、この「空」の心因に支えられてはいなかったか。それと同時に前記三人の作家たちがいずれも人文科学系の学部に学んだのに対して、作家は自然科学系の医学部に学び、整形外科を専攻し医学博士の学位を持ち、その母校札幌医科大学の講師を務めた。

それは森鷗外にも通じる科学者の眼と芸術家の眼を併せ持つことになるのだが、『阿寒に果つ』はその両者の眼で描いた美しい結晶であった。

昭和後期の文壇には加藤周一、加賀乙彦、上田三四二、北杜夫など医科出身の作家を輩出したが、渡辺淳一もその優れた一人といえる。

作家の出発は「母」の死を描いた「死化粧」（昭40「新潮」）の芥川賞候補によってその一歩が記される。

渡辺文学の愛読者にとって、この文壇第一作が私小説的な作風であることは意外なのではあるまいか。

それは人間の運命の明暗を鮮やかに描いた第六十三回直木賞受賞作『光と影』（昭45上半期）の、印象が強烈であったことによるであろう。次いで同じ医事小説でありながら、日本最初の女医荻野吟子の生涯を描いて女性の深い哀しみをたどる『花埋み』（昭45）で、哀切な世界を確立した。その延長上に名作『阿寒に果つ』があり、やがて『ひとひらの雪』（昭58）や、『化身』（昭61）など、不倫の愛を描いた話題作を経て、本篇の『桜の樹の下で』に至る。この間、『遠き落日』（昭54）『長崎ロシア遊女館』（同上）の歴史小説によって吉川英治文学賞（昭55）を受賞している。

さて、『桜の樹の下で』であるが、この長篇は昭和六十二年五月から六十三年四月まで一年間に渉って「週刊朝日」に連載され、平成元年四月に単行本として刊行された。連載中から桜とその花妖ともいうべき美しい菊乃が好評を得て、完結後、東映で津川雅彦・岩下志麻の遊佐と菊乃で映画化され、その後、テレビでも放映されることで読者には熟知の長篇であったろう。

しかし、映像化される過程で、この小説の持つ桜に対する哀切な情緒や、読者の自由な連想の中にある桜美が、ある程度妨げられたように思える。

渡辺文学の魅力はやはりその情緒的な描写力、文体にある。それは言葉によって妖しいまでの桜美を極めようとした作家の意図したものを読者が享受できるからである。

近代文学に数少ない桜美の小説が、文庫で再び新しい読者によって読まれることは、桜愛者である筆者には喜びであった。

『桜の樹の下で』は要約的にいえば、川端康成の『雪国』と同様、花妖の女身に魅入られた男性の夢幻能だといってよいであろう。

『桜の樹の下で』は能楽の構成そのままに、まず、ワキの遊佐恭平とワキツレ辰村涼子が鴨川べりのホテルを出て、両岸のいまを盛りの桜を見て、東山から平安神宮へと花を追って歩みを進める。これは能の橋懸りである。

やがて、平安神宮の神苑の八重紅桜の花の下に立って、ワキの遊佐が「花疲れ」という言葉を思い出す。

能舞台の正面には、八重紅枝垂れの作りものがおかれてあり、小説の登場人物であるワキは「桜が、どうしてこんなに美しいのか、知っている?」とワキツレの涼子に問いかけ、問答が始まる。シテの辰村菊乃はまだ現れて来ない。『桜の樹の下で』を夢幻能だといったのは、この冒頭の緩やかな導入部の構成にある。

ここでこの長篇の表題となった『桜の樹の下で』の書名考が明かされる。


「桜の樹の下には屍体が埋められている」

「ほんまですか」

涼子が怖わ怖わと、目の前の桜の根元へ視線を移す。

「屍体を埋めると、桜がよう咲くようになるのですか」

「人の血や肉を、養分として吸いとるのかもしれない」

「桜がですか」

涼子の質問は読者の問いにも重なるだろう。

「桜の樹の下には屍体が埋まっている！」この梶井基次郎の短篇「桜の樹の下には」（昭3）の冒頭の一行ほど昭和文学の桜観を震撼させた一文はない。

梶井は大正から昭和と改元されたばかりの昭和元年の大晦日、詩友北川冬彦の薦めに従って療養のため伊豆湯ケ島温泉に転地した。梶井の見た桜は彼の滞在していた湯川屋の一室から瀬古峡を臨む対岸のソメイヨシノの並木の桜だった。

作中で遊佐が「屍体が埋っているのは枝垂れ桜ではないような気がする」というのはまさしくそうで、このソメイヨシノという里桜は江戸時代も終りに近い幕末に府下豊島郡の染井村の桜山で発見された品種である。

染井の植木村は江戸の諸大名旗本の庭園や遊里吉原に広く樹木を供給・保育する園芸家集団で構成された村だった。

南関東の黒潮流域固有の真白な一重大輪オオシマザクラとこれも関東の桜エドヒガン自然交配種で親木のエドヒガンの特質を受け継いで、中輪一重の花がまず咲き、落花の後に葉芽の伸びる極端に花付きの多い桜だった。この新しい品種はたちまち江戸に大流行し、明治以後は生育が早く、病虫害に強いこの品種が全国に普及して、桜といえばソメイヨシノ一色となった。

「桜の樹の下には屍体が……」のイメージはソメイヨシノであってこそ視覚化できるのだった。と同時にこの桜は約一週間の短い花期、その散りぎわの激しさを連想させる。シテ菊乃のやがて訪れる運命がこの桜によって暗示されている。
作家はここでも周到な手配りを忘れない。菊乃がひそかに愛していた桜は黒谷北の真如堂近くに咲く白に近いソメイヨシノの老桜に設定している。桜愛者が読めばこの設定は心憎いばかりに行き届いている。

幕末から明治にかけて、桜は武人の花として強調されて来た。明治六年（一八七三）の明治政府の徴兵令発布以来、国民総士族化政策の推進過程で武人の花としての桜が強調され、国家神道による戦没者慰霊の招魂社（現靖国神社）の造立に当って、その境内に多くの桜樹――それも流行の里桜ソメイヨシノを植樹することで明治後期には桜はもう軍国の花としての「国華」に定着していたらしい。

しかし、軍国の花としての桜観は近々一世紀に満たないものである。記紀歌謡や『万葉集』で形成された桜観は『日本書紀』の允恭帝と衣通郎姫の歌物語や、『万葉集』の桜児物語に見られるように、美しい女性は桜の精に譬えられた。

古代以来、この国の歌びとたちの桜愛は咲き盛る桜に美しい女性の面影を重ねて眺める視点を秘めていた。――『桜の樹の下で』の渡辺淳一の桜観は、そうした古代以来のこの国の文学の伝統を地下水脈のように受け継いで来た美しい感性が、いま、泉となって湧き溢れたものといえるだろう。

満開のソメイヨシノの巨木には艶麗を超えて妖しい美しさがある。王朝説話の『今昔物語集』以来、桜の樹の下には霊鬼が棲む——桜鬼の言い伝えがある。遊佐が溺れた菊乃、涼子の母と子は美しい桜鬼といっていいだろう。

遊佐はその桜の精のあやかしに魅入られて夢幻界を彷徨する。この長篇の、菊乃、涼子という母と娘を同時に愛する遊佐を、背徳の愛として倫理的に指弾してはなるまい。彼女たちは同じ桜の精であるとともに、この国の文化を確立した王朝においては、美こそ倫理であり、その美の極みは咲き満ちる桜なのであった。

医事小説において人間の生死を凝視した作家は、五十歳の知命の齢を過ぎて、日本の文学の基層に眠っていた美の極みとしての桜美に到達した。

それは軍国の花として戦後以来、長く忌まれ続けて来た桜観を、桜本来の美の極みとして文学に甦えらせている。

山桜は樹齢千年をこすものもあるが、ソメイヨシノなど里桜の樹齢は女性の命の長さに等しい。

平安神宮の王朝貴族が最も愛した枝垂れ桜、それは谷崎潤一郎の『細雪』によって洛中の名桜となった豊麗なヤエベニシダレ。涼子の女身のような秋田角館の糸桜。そして、夜の東京千鳥ケ淵の花妖のような菊乃の妖しい美しさ。読者はこの作品の展開とともに、おそらく長い間忘れて過していた桜美の世界をこの一篇に再発見するであろう。

因みに書き加えて置けば平安神宮神苑のヤエベニシダレは、明治二十八年（一八九五）平安遷都一一〇〇年祭を記念して桓武天皇を祭神としたこの神宮が造営されたおり、当時はすでに洛中から消滅してしまったこの桜を、仙台市長が、江戸時代に京都御所から賜り塩釜神社に遺る親木から移植献上した名品だった。

谷崎の観たこの桜は、初代のこの名品から育成された二代目の桜であったろうし、渡辺淳一の描いたそれはさらにもう一世代経た桜である。シダレザクラは平安中期以来、好んで家桜として家門の傍らに植えられたエドヒガンの突然変異種でその繊細な風姿が平安貴族に愛された自生種の桜だった。

角館の桜は近衛の糸桜と歌にも詠まれた白に近い淡い紅の桜である。その可憐な姿は二十三歳の涼子の女身にふさわしい。

（平成四年二月、国文学者・評論家）

この作品は平成元年四月朝日新聞社より刊行された。

桜の樹の下で（下）

新潮文庫　わ - 1 - 21

平成四年三月二十五日　発行

著　者　渡辺淳一

発行者　佐藤亮一

発行所　株式会社　新潮社

郵便番号　一六二
東京都新宿区矢来町七一
電話　業務部(〇三)三二六六―五一一一
　　　編集部(〇三)三二六六―五四四〇
振替　東京四―八〇八番

価格はカバーに表示してあります。

乱丁・落丁本は、ご面倒ですが小社通信係宛ご送付ください。送料小社負担にてお取替えいたします。

印刷・二光印刷株式会社　製本・憲専堂製本株式会社

ISBN4-10-117621-3 C0193